情報脱・弱者

〜食の安全と情報戦に備えるための本〜

坂上智守

発行 八雲出版

はじめに

夜明け前

本書のテーマは、大きく分けて二つ。

ひとつは「食の安全」。もうひとつは「情報」です。

「食の安全」はその言葉の通り、『健康』に関することです。

私たちの体は、食べ物によって作られるとも言えます。ですから、誰にとっても関係のあることです。一方、「情報」に関しては、少し説明が要るでしょう。


「情報」とは、入れ物です。

英語で「Information（インフォメーション）」です。

「form（形を）」＋「in（とった）」＋「- ation（もの）」であり、「ある形態をとったもの」ということです。

その入れ物は、言葉や音や映像（色）など、様々な素材で作られます。意図的か無意識かに関わらず、その入れ物の中には、あらゆる「思想」や「哲学」が入り込みます。それを意識的に政治利用しようとすれば「イデオロギー（観念や思想）」となります。

また、人により解釈は様々あるでしょうが、情報とは「ある形をとったもの」であり、貨幣という形をとれば金融に、言葉という形を取ればメディアに、倫理や規範という形をとれば宗教になる、ということもできるでしょう。

現代の日本人は「情報弱者」と呼ばれています。略して「情弱」などと言ったりします。私たちは日々、様々な種類の「情報」に接します。ある「情報」は個人的には自分に関係のないものの様に見えます。逆にある「情報」は非常に興味深いものであったりします。

先日、書店で本を漁っていたら、すぐ横を中年のカップルが通り過ぎました。その時、「政治とか興味ないから、そういうのあんまり見たくないんだよね」という女性の声が聞こえてきました。そんなに大きな声でもなかったのに、私の鼓膜に真っ直ぐ突き刺さってくるようでした。
その時私の目の前には、まさに国際情勢に関する本がたくさん並んでいました。遠ざかっていく二人は、私と同世代かもう少し年上に見えました。
政治に興味がないということは、「家族の健康や、収入のことや、世の中で起こっている犯罪や拉致問題とか、災害が起こった際などの災害救助のこととか、子供達の教育のことや、世界中で常にどこかで行われている戦争や紛争のこととか、全部興味ないってこと？」という、いじわるな言葉が、思わず心のひだを撫でました。しかしすぐに、そこまではいかなくとも、自分だってかつては、政治のことや国際情勢のことなんか、なんにも知らなかったじゃないか、と思い直しました。

私が国際情勢に興味を持ったきっかけは、テレビや新聞やネットニュースなど、特に政治や歴史に関する報道と新型コロナ騒動に関する報道に、違和感を感じたことでした。

一つ例に挙げると、新型コロナ騒動以降あらゆる場面で、私たちは、ＰＣＲ（Polymerase Chain Reaction。ポリメラーゼ連鎖反応）という検査方法を、半ば強制されました。

しかし、その生みの親であるキャリー・マリス博士は、「ＰＣＲを感染症の診断に用いてはならない」とはっきり警告していました。

「人間の体内には、あらゆる細菌が常に存在しており、ＰＣＲは健康な人間を、あらゆる病気に仕立て上げることができてしまう」と。

例えばＨＩＶ（エイズの原因となるウイルス）の検査に活用した例を挙げると、ＰＣＲは、体内で実際に生きているウイルスではなく、ＨＩＶのものと考えられるＤＮＡの断片を増幅して測定します。しかし、これらの断片が、本物のＨＩＶのＤＮＡから増幅されたものであっても、既に死んだウイルスに由来する可能性もあるのです。ずっと前に死んだ遺伝子（ＤＮＡ、ＲＮＡ）の残骸でも、その小さな鎖を何十億回も増幅することができるためです。それゆえに、今現在ＨＩＶに感染しているかどうかの特定は、できないのです。

「ＨＩＶ検査は有効性が確認されていない。検査でわかるのは感染そのものではなく、ウイルス粒子だ」とはマリス博士の言葉です。

さらに、「ＰＣＲ法では、完全なウイルスではなく、遺伝子のごくわずかな痕跡が検出されることがあり、それが（特定の）ウイルスから来たものか、他の混在物から来たものかまでは、わからない」とも述べています。

以上の様なことが、メディアで報じられることはまったくと言っていいほどなく、人々はその検査方法による結果で、日々の行動を制限されたり、仕事や社会活動までもが半ば強制的に規制されたのでした。

そして２０１９年８月、新型コロナ騒動の始まる直前に、マリス博士はロサンゼルスの自宅で亡くなります。当初、死因は不明、とされました。

当時も今も、大手メディアによるマリス博士に関する報道は、私の知る限り、ほとんどありません。

私は次第に、テレビやネットニュースなど、特に何もせずとも「向こうから自然にやってくる情報」に対し、疑問を抱くようになりました。

そうしてあらゆることを、自ら調べるようになっていきました。

コロナってそもそも何なの？

ワクチンって、具体的にはどんなワクチンのこと？
色々と報道されるデータって、誰がどうやって集めたデータなの？
テレビや大手メディアに登場する、専門家と呼ばれる人々や識者と呼ばれるコメンテーターは、どうして、どの局も、どの番組も、どの人も、ほとんど皆、同じ事柄を、同じ視点から語り、同じような意見を述べているの？

以上のような疑問に対する大手メディアから得られる情報には、私が調べた限り、納得のいく様なものはありませんでした。

そして誰もが一度は、同じ様な疑問を、漠然と感じたことがあるのではないでしょうか。
しかし、ふと湧いた違和感は、日々上書きされていく日常に、あっという間に埋もれていきます。ほんの少し残った残像が、たまに心の端を摑んで揺すっても、目の前にある生活という現実に、かき消されてしまいます。

どうして、PCRに関するマリス博士の発言や、博士の死の真相に関することではなく、芸能人やセレブと呼ばれる人々のスキャンダルや、誰かの発言を取り上げた言葉狩りの様なネタなど、その様な情報がネットニュースのトップに並んでいるのでしょうか。

どのくらいの人々が、そちらの方がより重大な事柄だと思っているのでしょうか。そして私たち国民は本当に、自ら情報を選んでいる、と言えるのでしょうか。

今の時代は情報にあふれています。ほとんど無限とも言える情報が、日々増え続けており、私たちはその中からどの情報に触れるのかを自由に選び取ることができる、ということに、一応はなっています。

しかし実感としては、逆に選択肢は狭まっている、と感じることはないでしょうか？

ＳＮＳをはじめネットが進化し、どんどん便利になって行くと同時に、私たちは『選択』と『判断』を手放しつつあります。それは『責任感』と『自律心』の減退に、ほぼ同義となります。

私たちが選べる、日々接することのできる情報は、すでに私たちの目の前にやって来る前に、なんらかの『調整済み』、『整備済み』である、という可能性はないでしょうか？

そして実際に私が感じたのは、重要な情報は必ずどこかにあるはずなのに、自ら調べないとなかなか見つけられない、ということでした。

「食の安全」も、結局は「情報」が鍵を握っています。

野菜は健康に良いイメージがあります。確かにそうかもしれません。しかし、どのような農薬や化学肥料をどのくらいの量使って育てられた野菜なのか、それによります。さらに、種そのものの問題もあります。食肉も乳製品も穀物も、その生育過程で、そして出荷処理や運送過程で、どのような処理が行われているのか、によるでしょう。加工食品や化学調味料や飲み物など、食品添加物の問題はどうでしょうか。このように挙げていけばきりがありません。

「食の安全」を確保するには、「質の高い情報」に触れることが必須です。ですから、「食の安全」を考えるなら「情報」に関して考えることも重要になります。「質の低い情報」を信じていては、逆効果となるからです。

では、その情報の質の高さや信憑性は、どのように判断したらよいのか。

本書では、以上の様な観点から、「食の安全」と「情報」をテーマに話を展開していきます。

父の死

私は長年、都内を中心に音楽活動をしてきました。世間的にはまったくの無名ではありますが、大変ありがたいことに、音源の全国流通、大手メーカー様とのエンドース契約なども、経験させていただきました。

発表した音源は、全国のレコード店や雑貨店など、たくさんの店舗で取り上げていただき、渋谷にある大きな某有名レコード店様にご挨拶に伺った際には、当時憧れていたバンドの新譜と同じ試聴機に自分達のCDが入っていることに、嬉しさよりも恐縮してしまったことを覚えています。

ありがたいことに、メーカーの担当者様には、今も変わらずお世話になっておりますが、現在の私は音楽だけでなく、英語の翻訳もしながら、小規模ではありますが無農薬の野菜も作っています。


ここに述べられる多くの情報は、書籍やインターネットで調べて得た知識、人から教わったこと、および個人的な経験から来るものです。

書籍やネットで調べた内容はどれも、基本的には公開情報であり、誰にでも調べられるものです。よって、特別な情報源や独自のルートなど必要なく、私の様な一般人でも、このくらいの情報なら得ることができる、ということでもあります。

従って、日頃から自分でものごとを調べて情報収拾されている方にとっては、この本の中にさしたる真新しい情報はあまりないと思います。また、あらゆる情報を網羅的に紹介しているため、より深く知りたい方は、巻末の参考図書の欄をご参考にしていただければと思います。

政治や歴史の専門家でもなく、医療従事者でもジャーナリストでもない音楽に生きてきた私が、なぜ「食の安全」と「情報」について本を書こうと思ったのかは、すでに述べた通りです。

しかし「食の安全」について、意識が向き始めた理由は、他にもありました。私自身の話になってしまいますが、そのことから書いていこうと思います。しばしお付き合いください。

今から10年ほど前、父が亡くなりました。癌でした。

その直後に、当時活動していたバンドの写真撮影とライブの予定を控えていました。これを書いている２０２３年現在の、およそ2年前に解散してしまいましたが、そのバンドのごく初期の頃のライブでした。

普段と変わらずステージに立ち、終演後、少数ながら観に来てくれた方々と、何を話したか覚えていません。しかし、その頃観に来てくれていた方の多くが、バンドの解散まで変わらず応援し続けてくれたことを、忘れることはありません。

年を経て中年になった今、自分が父にどんどん似て来ていると感じます。

根っこには似たところが元々あったと思いますが、父と私はキャラクターが全く違いました。

誠実という言葉を絵に描いたような父に対し、私は自由奔放で粗野でした。

父は長年、文学関係の編集者として働き、晩年は某有名出版社の編集長にまでなりました。

いつも仕事漬けで、仕事一辺倒というイメージでしたが、不思議とそのことで私が不満に感じたという様な、子供の頃の記憶がありません。

よほどうまく、子供との時間を作ってくれたか、あるいは今思えば、『関わり方の密度』が濃かったのかもしれないと、なんとなく想像できます。

父は、外でお酒を飲むこともなく、物欲は全くなく、娯楽にも一切興味がない、趣味や関心ごとも読書のみ、という根っからの読書家であり文学者でした。

そんな父と私は、あらゆる面ですれ違いを続け、その距離をうまく縮めることのできないまま、父は帰幽してしまいました。

父が、時に不器用ながらも、母と同じように心の底から自分を愛してくれたという自覚が、私にははっきりとあるので、それだけで十分だという気持ちもありますが、やはり贅沢を言えばもっと、分かり合いたかったという思いはたくさんあって、その寂しさや無念は、どうしてもいつまでも心に残るものです。

暗い病室のベッドの上で、「帰りたい」と力なく呟いた父の一言のあと、病院から逃げる様に自宅へ連れ帰るまでは、すぐでした。

その後、実家で自宅看護中だった父を何度目かに見舞ったあと、都内のアパートへ帰るため部屋を出て、襖を閉めるその瞬間、ベッドからこちらを見送る父の目が、見たこともないほど寂しそうな目をしていました。結局それが、私の見た父の最後の姿でした。

厳格で気難しい一面もあった父の、その様な不安そうな表情を見たことは、それまで一度もなく、誰にも媚びることなく、弱音を吐いたことも一度もなかった誠実な父の、痩せこけた力ないその時の姿が、今も目に焼き付いています。

生まれた時、父の両足のつま先は、内側でぴったりと向かい合っていたそうです。矯正のため足には器具がつけられ、子供時代の大変な苦痛に耐えたおかげか、私の知っている父は、今思えば少し不自然なところがある程度で、普段の生活にはなんの支障もなく過ごしておりました。

そのこともあって、私が生まれた時、親族一同は真っ先に足を見たそうです。ありがたいことに、人一倍元気な身体に産んでもらった私は、学校で一番足が速い子でした。

幼稚園の頃から英会話に通わせてもらい、サッカーや陸上競技をしたりして小・中学校を卒業後、英語専門のコースのある高校に入学しました。その三年間はろくに勉強もせず、バンド活動と遊びに明け暮れ、非常に情けないものでしたが、卒業後二、三年ほど都内で一人暮らしを経験した後、アメリカへ語学留学をしました。

ニューヨークとロサンゼルスで学び、色々なことがあって、路上生活を経験します。運良く無事にその生活から脱け出すことができ、帰国し都内で音楽活動を始めました。学生時代にやっていた夢の続きを、本格的に追い始めたのです。

数年が経ち、バイトを掛け持ちしながら活動をしていたある時、父の体調不良を知ります。どうやら数年前に手術した癌の転移が見つかったということでした。父の病状はあっという間に進行していき、最後は母の献身的な自宅看護の末、前述した最後を迎えます。まだ65歳でした。

そのちょうど一年後、今度は母に癌が見つかりました。早期に手術をして、ありがたいことにそこからは今日まで何もなく健康に暮らしています。しかしその数年後、今度はお世話になっていた知人の方が、癌で亡くなってしまいました。また、父の死の数年前には、叔父と叔母が立て続けに癌で亡くなったばかりでした。更には、長年実家で可愛がっていた猫も、最期には癌を患い亡くなっていました。

父は晩年、癲癇(てんかん)にも悩まされており、母には難病指定されている持病二つを含む、合計三つの自己免疫疾患があります。そして私自身も生まれつき、アトピー性皮膚炎やアレルギー性鼻炎があり、アメリカにいる頃くらいから発症したと思われる、「ベーチェット」

と呼ばれる難病にそっくりな症状に長年悩まされてきました。

更には、父の足ほどのことではありませんが、私の両足には生まれつきそれぞれ爪が六つあり、その六つ目の爪はとても小さいものですが、神経が通っており、触れるだけで痛みを感じたり、簡単に剝がれてしまったりします。靴下や靴は、履いているだけで痛くなることがあり、神経が刺激され、足全体が痺れて、非常に疲れてしまいます。

帰宅途中に痛くなり、あまりにも痛いため、靴を脱いで手に持ったまま、駅から自宅まで裸足で歩いて帰ったことも何度かあります。

これは母方の遺伝ですが、母も祖母も成人するにつれ、六つ目の爪は自然と無くなったそうです。なぜか私の場合は無くなりませんでした。

また、生まれつき首の骨が一つ多く、むち打ちになりやすく、たまにですが朝目が覚めた時に、首が痛くて起き上がれない時もあります。

そして私のいとこの一人は、全身の骨が曲がっており、そのため、手足も不自由であり、話す時も骨の圧迫のせいか発声がし難いという、大変な難病を抱えております。叔母の話によると、尿毒症といって、尿の毒素が脳内に入り、それが影響しているという様な話でした。

身内だけでも、病気の話はこんなにたくさんあります。友人や知人まで拡大すれば、精神的なものも含め、相当な数に上ります。

そうして私は、あまりにも癌で亡くなる方や、病気の方が多いことに、次第に疑問を持つようになりました。

医療はどんどん進化しているはずなのに、そして人類の生活の質というものも、昔よりはるかに向上していると言われているはずなのに、それなのにどうしてなのだろう、と。

無知な私は、素朴にそう思ったのです。

周りに病気を抱えている人が何人もいるというのは、決して私に限った話ではないと思います。

そして私は今、特に日本で、それが多い様な気がしているのです。

違和感

その疑問はやがて、コロナが流行りだし、社会が一変しだした頃から、派生的に別の疑問へと繋がって行きました。しかしそれはより正確に言えば、疑問というより違和感でした。

無知な私は、前述した通り、自分で調べはじめました。

国際情勢をはじめ、環境問題や歴史や政治に関する報道の仕方に、コロナに関する情報に、専門家と呼ばれる人々のマスクやワクチンに関する説明に、医療や食にまつわる説明に、納得できなかったからです。

無知な状態では、それらの情報を鵜呑みにして信じることも、また否定することもできないからです。

私は幸い、自分が無知であることに、「自分がそれを知らないということ」に気づけました。

さらには幼い私を、直感的に英会話に通わせてくれた母のおかげで、日本国内に出回っている情報だけでなく、世界中の情報に自らアクセスし、様々な情報の確認をすることができました。

数え切れないほど様々な分野の本を読み、ネットで情報を漁り、人に会いに行き、話を聞き、自ら体験し、国際情勢に関する翻訳もしたりしながら、そうしていく中で、無農薬・無肥料での野菜作りもはじめました。少しでも自分で実践できることからはじめようと思ったからです。

皆さんもご存知の通り、世の中には、目を見張るほどの活動をされている方がたくさんおられます。しかしそういった方々のほとんどを、自分で調べるまで私は存じ上げませんでした。

本だけでなく、勉強になる動画もネット上にたくさんあります。もちろん、明らかなフェイクニュースや誤情報のＭＥＭＥ（ミーム。ネット上で拡散されて流行るネタの様なもの。加工した画像や短い動画などが多い）もありますが、次第に見分けがつく様になります。

はじめは友人知人に、それとなく伝えはじめました。しかしほとんどの場合、陰謀論だ、ネトウヨだ、頭がおかしくなったんじゃないか、とあからさまには言いませんが、離れて行った人もいます。自分の伝え方が悪かったのかもしれません。気持ちが先行してしまい、真実を伝えることよりも、自分の想いを伝えることに比重が偏ってしまったのかもしれません。それでは当然、相手は引いてしまいます。

しかし同時に、うっすらとある記憶が心に残っていました。それは、北朝鮮による拉致問題に関する報道です。

拉致被害が明るみになりはじめた頃、テレビでは、ニュースキャスターもワイドショーのコメンテーターも、専門家と呼ばれる人まで、そんな映画や漫画みたいな話あるわけない、といった感じに鼻で笑っていました。

世の中には確かに、おかしな情報もたくさんあります。

しかし、「ある日突然、外国に拉致されて、その後二度と家族に会えなくされた人がいる」なんて、そんなことが本当にあるとしたら、「とんでもないことだ！」と思うのが、自然な反応ではないでしょうか。

それを、頭から嘘だと決めつけてしまうのは、とても恐ろしいことだと思いませんか。

子供を奪われて、必死に訴えている家族の姿を見て、最初にすることが、その人たちを疑うことでしょうか。

自分で確かめようとしないのはなぜでしょう。どんな情報も鵜呑みにしてはいけません。この本もです。嘘を書いていると言っているわけではありません。自分で調べるということが、大事なのです。テレビや新聞は絶対に正しいのでしょうか、専門家と呼ばれる人々のすべてが、本当に専門家でしょうか。

その後、拉致問題が陰謀論であったかどうかは、皆さんご存知の通りです。

これまで自分が収集してきた膨大な情報を、今回、自分のためにもいったん整理したい気持ちもありました。

そしてありがたいことに、私は、一流の方々から知見を得る機会にも恵まれました。ある時、国内外で活躍されておられるあるジャーナリストの方と、情報を広めるために何ができるか意見を交わしていた時、私はその方に、活動資金を得るためには、そのための発信もしなければならないし、情報を広めるためには、一般的に知名度のある方などに力を借りる手もある、と提案しました。しかし、その方はそのことには、あまり芳しくない反応をされていました。

数日後、その方がラジオの生放送で「情報の囲い込みはしたくない」と仰っているのを聞いて、その時はじめて、その方が芳しくない反応だったその意味に気づかされました。安易な発想をした私を見抜いたその一言には、とても深い洞察が入っており、本当にその通りだと思いました。

そんなこともあり、自分も僭越ながら書いてみようと思ったのが、この本を書くきっかけのひとつでもあります。

社会が少しでも明るい方へ向かえば、本望です。

なお、一部を除いて、引用文献をその都度明記はしていませんが、基本的にほぼすべて巻末の参考文献と照合できます。また、敬称は一部を除き省かせていただきました。

脱・情報弱者 ～食の安全と情報戦に備えるための本～ 目次

はじめに

第1章 Laboratory（実験室） なぜ日本では「がん」が増え続けているのか

第2章 Narrative（作り話）現在、情報戦という世界大戦下にあることに、日本人が気づけない訳

第3章　Follow the Money（お金の流れを追え）グローバル企業とマネー主義

第4章 Silent Invasion（見えざる侵略） いつの間にか入り込んでいる悪魔

第5章 Behind the Veil（ヴェールの向こう側） 語られることのない歴史

第6章 Rebuild a House（国家再建）自衛のための要諦

第7章　Proud Japanese（日本人としての矜持）
日本人に生まれて

第1章

Laboratory
（実験室）

なぜ日本では「がん」が増え続けているのか

そもそもがんはいつから存在するのか

いつ頃からか私の中に、

「父はなぜ死ななければならなかったのか」

そんな漠然とした思いが、深く根を張っていました。

しかし私は、その思いに積極的に向き合おうとはしてきませんでした。

そこには、その（無念の）思いがあるだけで、それ以外何もないと思ったからです。

あるいは、父の死に理屈をつけたくない、という気持ちもあったかもしれません。

いずれにせよ、家族を亡くしたことのある方なら、ほとんどの方が経験するであろう一種の罪悪感の様な思いが、しばらく私の中から消えませんでした。おそらく母もそうでしょう。

ああしておけばよかった。こんな話をすればよかった。自分がもっと勉強していれば、とか、もっとこんなことをしてあげたかった。など、そんなことは当然思います。がんについて、薬について、農薬や添加物や食の安全について、ちゃんと調べておけばよかった、、挙げていけばきりがありません。

時々似た様な誰かの声が、あちこちから聞こえてくる様な気がして、胸の奥に重たい鉛のようなものを感じることがあります。

その度に漠然とした不安が、心のひだを薄く撫でては、いつの間にかどこかへと消えていきます。

気がつけば私は、音楽を作ったり翻訳をしたりしながら、あらゆる本を読み漁り、無農薬・無肥料で野菜を作り始めていました。

１９６２年、日本に国立がんセンターができてから、すでに60年以上が経っています。厚生労働省が発表している「主な死因別にみた死亡率（人口10万対）の年次推移」をみると、昭和22（１９４７）年から令和３（２０２１）年で、およそ四倍近く「がん死」が増えています。１９６０年代頃に死因のトップであった「脳血管疾患」は半分ほどに減っているのに対し、がんは現在、二位の「心疾患（高血圧性を除く）」の二倍近い死亡率で、一位となっています。

今日では広く知られる癌（Cancer）の名前ですが、紀元前400年頃のギリシャ、現代では医学の父と呼ばれているヒポクラテスが、診療中に発見したある病気に「蟹（かに）」＝Cancer（キャンサー）と名付けたのがはじめと言われています。がん細胞が蟹の足の様に広がるからでした。日本では昔、患部が岩の様に硬くなることから、「岩（がん）」と書かれていたこともあり、「癌」という字も、「疒（やまい、やまいだれ）」と「喦（がん）」の字が合わさってできたものだそうです。

聖書にも古代中国の医学書にも載っていないとされる癌は、昔は非常に稀な病気であったのかもしれません。癌による死亡者数は、1830年代のパリで死亡者全体の2％、1900年のアメリカで4％に過ぎなかったという研究もあり、産業革命以後、人類の発展に伴って増えていったとも言われています。

癌の患者が増えるのに伴い、「現代的な治療法」が現れはじめます。ちなみにアメリカの現代医学は、ドイツ流アロパシー医学と呼ばれるものが土台となっています。「アロパシー医学」とはつまり、「西洋医学」であり、「対症療法」のことであり、一般には毒物とされる薬物を用いることから「薬物療法」や「毒物療法」と呼ばれることもあるそうです。

なお、私個人は前述の通り、医療の専門家ではありません。そして、ここに現代医学を否定する意図があるわけではありません。西洋医学にも東洋医学にもそれぞれの利点があり、それら基本的なことを我々一人一人が知ることが、重要だと思うまでです。また、西洋医学であれ東洋医学であれ統合医療であれ、世のため人のため、懸命に働いている医療者がたくさんいるということは、言うまでもありません。

ともあれ、自ら意識的に調べないと、なかなか知ることのできない情報が多すぎると思ったのが、この本を書くきっかけのひとつでもあります。ですから、この本の中で気になったワード（語句）やエピソード（事柄）があったら、是非ご自身で調べていただきたいと思います。その際には、巻末の参考図書一覧が、ご参考になるかと思います。

また、ホメオパシー（同種療法）、サイコセラピー（心理療法）、ナチュロパシー（自然療法）、オステオパシー（整体療法）の四つにアロパシー（対症療法）を加えた五つが、五大医療と呼ばれています。

食事＝生活法

「汝の食事を薬とし、汝の薬は食事とせよ」と言ったヒポクラテスは、「ディアイティア（diaitia）」という造語を作ったそうです。「生活法」と訳すことができ、それはすなわち、どんな食事をするかという意味であったと言われています。

「meat（肉）」という語は、今日の我々にとっては主に動物の肉を想像しますが、かつては「毎日の食事」という様な意味で、オーツ麦・大麦・小麦・ライ麦や果物・ナッツ類を指しました。そして、ヒポクラテスは、「まず患者が何を食べたか、そして誰がその食べ物を与えたかを調べるべきだ」と教えたと言われています。

日本では、がんで亡くなる人の数が、年々増え続けています。今では発がん物質と食生活習慣が、がんの発生に大きく関わっているであろうことは、周知の事実です。先進国の中でも、とりわけ日本でがんが増え続けているのはなぜでしょう。

長年、がんの研究を続けてきた医学博士・統合医療医師の小林常雄医師は書籍の中で、

「がんは食生活習慣病である」と明言され、「がんは原因不明の病気ではありません。細胞の中にあるミトコンドリアを壊す病気です」という旨のことを書かれています。そして、日本では医学に「栄養学の観点が抜け落ちている」ことが、大変問題であると指摘されています。また、アメリカを例にとると、全米でがん治療に当たる医師のうち、内科系が４割、外科系が４割であるのに対し、日本は外科医が95％、内科系が５％以下であり、極端に比率が偏っているのが現状だそうです。

かつて、日本食は理想の食事であると断定していたアメリカによって、戦後日本にアメリカ産の牛肉、牛乳、パンといった、アメリカ式の食習慣が持ち込まれました。そしてそれに伴い、元々の「米穀食」は半減してしまいました。

その後、乳製品や肉類の供給量増加に伴い、「大腸がん」「肺がん」「乳がん」などが増えていきました。そして特筆すべき点は、元々日本にもあった「胃がん」は基本的に横ばいなのに対し、それ以外のアメリカ型（洋風）のがんが増えたというところです。小林医師によると、色々な種類のがんがある中で、例えば「乳がん」などは元々、インドやタイにもほとんど無く、その様にアメリカ型（洋風）の食生活に変えた結果、増えていった

「がん」の種類があるということです。日本で米国食が増えたのにはもちろん、有名なGHQによるWGIP（ウォー・ギルト・インフォメーション・プログラム）と呼ばれる占領政策（＝洗脳政策）が大きく影響していることは言うまでもありませんが、このWGIPについては後の章で詳述します。

がん研究はがん産業？

戦後、日本にアメリカ式の食習慣が入ってきた頃から数えて、20年後から40年後頃にかけて、がんの死亡者数が一気に4倍になっているというデータがあります。

前述の通り、元々はごく少数であったと思われる「大腸がん」「前立腺がん」「乳がん」などの発生・増加が明らかに急増しており、それは日本人の本来の食生活なら、あり得なかったことである、と小林医師は言います。

米国では、がんの増大には「小麦のグルテン」と「牛乳のカゼイン」が大きく影響している、という結論を、コーネル大学のコリン・キャンベル教授がはっきりと述べています。

話は少しそれますが、動物性タンパク質の摂取を抑え、なるべく植物性食品から栄養をとることを奨励するキャンベル教授は、自身も家族もヴィーガン（ビーガン。完全菜食主義者などと訳され、主に動物由来の食品を食べない人々を指す）として有名です。一部の人の中には、キャンベル教授が動物性食品を否定していることを、ヴィーガンであることと結びつけて批判する方もおられるようですが、キャンベル教授が動物性食品を避けているのは、あくまでも自身の考えに基づいた栄養と健康の観点からであり、思想の観点からではないということです。

さて、キャンベル教授は２０２２年4月、雑誌（週刊現代・講談社）の取材に対し、次の様な内容を語っています。

「私の父は70歳で亡くなり、祖父は73歳、叔父は58歳で亡くなったので、遺伝子的には私も既に亡くなっていても不思議ではありませんが、88歳になる今もこうして非常に元気です。これは食生活を変えた結果だと思います」

米コーネル大学栄養生化学部名誉教授であり、「栄養学における現代のアインシュタイン」とも呼ばれる教授は、さらにこう続けます。

「父が酪農家だったこともあり、私も若い頃は牛乳が健康に良いと思っていました。しかし私にとって、栄養についての１８０度の転換を経験したのです。がんの増殖を加速させる物質に『カゼイン』があります。そして実に牛乳のたんぱく質のおよそ87%が、カゼインによって構成されていたのです」

小林医師の著書『今こそ知るべきガンの真相と終焉―ガンに罹る3つのリスク因子が判明―』(創藝社)によると、「グルテン」や「カゼイン」の中に含まれているのが『グルタミン』というアミノ酸の一種で、この『グルタミン』がまさに、がんの主な栄養になるということです。

私たち日本人の主食であるお米にも、『グルタミン』は入っているそうですが、比率にすると牛乳は、お米のおよそ1万倍だそうです。あくまでも素人の意見ですが、その乳製品を100倍にも増やしたことと、戦後、がん死が4倍に増えたことが全く関係ないとは、私には思えません。

また、がん及び病気の予防には「第一次予防」と「第二次予防」があり、その「第二次予防」にあたる「早期発見・早期手術」が重要であると、日本では言われ続けてきました。しかしおよそ30年前の米国で既に、ハーバード大学のJ・ベイラー教授は、この「第二次予防」ではがん死は減らせない、という結論を出しているそうです。にも関わらず日本は、バブル前後頃から盛んに米国食を取り入れ続け、肉は以前の数十倍、乳製品はおよそ百倍とも言われる量を取り入れ、逆に米穀食は半分に減少したと言われています。

「第一次予防」とは、つまり「食」のことであり、言い換えれば「食習慣」や「食事療法」のことです。

米国ではこの「第一次予防」が重視されているのに対し、日本では実際に50年余りも、ほぼ「第二次予防」のみを実施してきた結果、逆にがん死が増えているのですから、そこに大きな矛盾があることは明らかです。

また、「第二次予防」とは、要するに「対症療法」のことであり、「がん・病気になる人を減らす」のではなく、「がん・病気になった人を治す」という観点です。病気になってしまった人を治すことも、もちろん大切ですが、そもそも「がん・病気になる人を減らす」方がもっと重要ではないでしょうか。

あまり好ましい表現ではないかもしれませんが、言い換えれば、そもそも病気になる人がいなくなってしまうと、薬を売ったり、診察や治療行為をしたり、検査をしたりして、合法的にお金を得ることができなくなってしまいます。それをどういう意味にとるかは、人それぞれかもしれませんが、こういったことを医療従事者や関係者が、名前や顔や立場を公表した上で公にしようとすれば、それなりの覚悟がいると思います。ですから、あまり大っぴらに言われることがないのは容易に想像できることであり、だからこそ現実的な話だと、私には思えます。

紙幅の関係もあり、ほんの一部の方々しかご紹介できませんが、がん研究や医療に関する矛盾を指摘する医師や研究者は、昔から世界中に存在します。これは医学の分野に限った話ではありませんが、それら勇気ある人々の声を世の中に伝えるため、試行錯誤を続ける勇気あるジャーナリストもまた、世界中にたくさんいます。

ただの一般市民に過ぎない素人の私であっても、本気になって調べれば、相当な情報を得ることができます。何も「特別な裏ルートからの情報」など必要ありません。都市伝説の類の様な情報は必要ないのです。誰でも調べることができる「公開情報」と、既に調査・研究してくれた人々の活動から、注意深く学べばよいのです。陰謀論を追うのではなく、陰謀そのものを淡々と暴けばよいのです。

その様に見識を広めていく中で自然と、「父はなぜ死ななければならなかったのだろう」という思いは、いつしか、「父は何によって寿命を縮められたのか？」という、より具体的な問いへと変わっていったのでした。

コーデックス委員会

かつて私たちの国は、江戸時代、鎖国をしていました。その当時は、日本人の食べ物は日本人が日本人のために、国内で作っていました。国の食料自給率は１００％と言ってもいいでしょう。

しかし現在、私たち日本人の口にする食べ物の多くが、海外から輸入されています。さらに、国内で作られている作物の「種」や「肥料」も海外依存度が非常に高く、およそ三十数％と言われている日本の食料自給率の実際は、それよりはるかに低い10％未満であるとも言われています。

では、日本に入ってくる食べ物は、どのような行程を経て、市場へ流通するのでしょうか。

『食べ物がどのような意図の元、どこでどう作られ、どの様に運ばれて、私たちの口に入り、最終的に実際、体にどう影響するのか』、その一連の流れのイメージを、新たな視点として持つことは非常に大事です。

農産物に使える農薬については、「コーデックス基準」というものが設けられています。

1963年、WHO（世界保健機関）とFAO（国際連合食糧農業機関）により、「コーデックス委員会」という国際的な政府間機関が設立されました。その「コーデックス委員会」が設けているのが「コーデックス基準」です。輸入される農産物には、この「コーデックス基準」に沿ってサンプル検査が実施され、基準を超える残留農薬の有無をチェックするのです。

しかしその実態は、輸入される全体のごく一部にしか検査は行われず、しかも採取されたサンプルは、安全が確認されるのを待たずに市場へと出回ってしまうという、大いに疑問の残るものであると、東大大学院・鈴木宣弘教授は指摘します。

『札幌のある医師が調べたところ、アメリカの赤身牛肉から、通常の600倍もの濃度の「エストロゲン」が検出されたという。エストロゲンとは、いわゆる女性ホルモンであり、アメリカなどでは、牛を早く成長させるための成長ホルモンとして使われている。だが、エストロゲンは乳がんの増殖因子となるという指摘があり、使用を禁止している国も多い。日本国内でも使用が禁止されているが、そのエストロゲンが、日本国内で流通する牛肉から、高い濃度で検出されているなら、検査体制に大きな疑問が残ると言わざるを得ない。』
（『世界で最初に飢えるのは日本』鈴木宣弘　講談社）

世界中で禁止されている農薬に対し、最も規制の緩い国が日本です。しかも、国内で禁止されているはずの「成長ホルモン」でさえ、基準をはるかに上回るものが実質的に流通しているのです。結果、海外なら「危険であるため、食べてはいけない」とされているようなものまで、日本になら売れる、ということで輸入されてしまっているのが現状です。

私たちはそうして国内に流通した食べ物を、知らず知らずのうちに食べているのです。

そして、そうした歪んだ社会構造は、偶然そうなったものではなく、私たち一人一人の認識や危機意識の甘さが原因のひとつにあるだけでなく、実際にその様にデザインされている、あるいは、仕向けられていると言っても、決して大げさではありません。

牛肉だけでなく豚肉にも「ラクトパミン」と呼ばれる、人体に有害性があると懸念されている「成長ホルモン」が使われることが多く、したがって牛肉も豚肉も、アメリカ産だけでなく、オーストラリア産であっても、『ホルモンフリー表示』がない限り、同程度のリスクがあると言われています。

オーストラリアは、成長ホルモン使用肉を禁止しているEUに対しては、成長ホルモンを使用しない肉を輸出しています。しかし日本向けの肉に関しては成長ホルモンを投与しており、やはりその様な矛盾した状況に、不信感を抱かされます。

日本の検査体制の緩さを、ある意味利用されていることにも、我々日本人はそろそろ、気づかなければいけないのだと思います。

農薬大国日本

では実際に、どのような農薬が使われているのでしょうか。

まず、日本では「ラウンドアップ」という名前で知られ、除草剤として有名な「グリホサート」は、手頃に購入できるため、広く国内に浸透しています。しかし、発がん性が指摘されており、腸内細菌を殺すことにより、さまざまな疾患を誘発するという懸念もあります（この懸念を否定する見解もあるそうです）。

実際に、２０１８年アメリカで、校庭の整備作業中にラウンドアップ（グリホサート）を使用していた男性が悪性リンパ腫を発症し、メーカーのモンサント社を訴えて、裁判で３２０億円の賠償命令が下されたことがありました。さらに、同様の裁判は実に1万件を超えていると言われています。（新聞「農民」２０２２．３．７付）

２０１７年に農水省が行った調査によると、アメリカ産の97％、カナダ産の１００％の輸入小麦からグリホサートが検出されています。

また、農民連食品分析センターの検査によると、日本国内で流通しているほとんどの食パンから、グリホサートが検出されています。ただ、「国産」「十勝産」「有機」の表示のあったパンからは検出されることはなかったということです。

グリホサートに対する懸念は近年高まっており、アルゼンチン、オーストラリア、ブラジル、ベルギー、カナダ、デンマーク、イギリス、オランダ、スコットランド、ポルトガル、スペイン、スイス、インドなど、世界中で規制が強化される方向にあります。そんな中、日本ではなぜか規制緩和をしており、2017年、日本政府はアメリカの要請により、日本人のグリホサート摂取限界値を、小麦は従来の6倍、そばは150倍としています。

また、アメリカ産の生鮮ジャガイモの日本への輸入は、以前は禁止されていました。しかし2020年2月、農水省は規制緩和を行い輸入可能に、更には、ジャガイモ用の農薬についても、規制緩和が行われました。そして2020年6月、厚労省はポストハーベスト農薬（収穫後に作物へ直接散布される農薬）として、発がん性や神経毒性が指摘されている殺菌剤ジフェノコナゾールを、生鮮ジャガイモの防カビ剤として『食品添加物』に指定しました。その上で更に、そのジフェノコナゾールの残留基準値を改定し、それまでの20倍へと緩和しています。

アメリカから日本へ輸送する際、防カビ剤の散布が必要になります。しかし日本では収穫後の農薬散布（ポストハーベスト農薬）はできません。ゆえに、ジフェノコナゾールを農薬という分類ではなく、『食品添加物』である、とすることで、ジャガイモへの収穫後の散布を可能にした、ということですが、これと似た様な例として、「日米レモン戦争」と呼ばれる事例もあり、要求に従わない日本に対し、アメリカが自動車の輸入を制限すると日本を脅したり、『流通』は必ず『政治』に利用されるということが、この様なことからも分かります。

農薬といえば特に有名な、「ネオニコチノイド系農薬」は、その浸透性の高さにより使用回数が減らせることと、環境にやさしいとして、売り出されました。しかし、なかなか洗い流せない浸透性と、長期に渡って残留する残効性、更には強い神経毒性があることが分かり、健康被害が懸念されています。このネオニコチノイド系農薬に関しても、日本では欧米に比べて、格段に緩い基準値が設定されています。

２０１８年のデータには、緑茶でＥＵの基準値の６００倍、キャベツでアメリカの基準の4倍、いちごはＥＵの60倍、アメリカの5倍というものもあり、１９９９年のフランスでの規制にはじまり、ＥＵ諸国、アメリカ、台湾、韓国など、世界中で使用禁止へと転換する動きが加速しています。しかしここでもなぜか、日本では残留基準の緩和が進んでいるのが現状のようです。

また、本書では紙幅を割いて言及しませんが、農薬だけでなく遺伝子組み換え（ＧＭ）作物及び、その『表示方法の問題』も、農薬とセットで考えなくてはなりません。

コロナ禍以降のこの数年間、私たちがワクチンだ、マスクだ、ソーシャル・ディスタンスだ、三密だ、と騒いでいる間に、食に関する様々な規制が、次々と緩和されていきました。

2020年6月には、殺菌剤ジフェノコナゾールの規制緩和、2019年、2021年には段階的に遺伝子組み換えジャガイモの規制緩和、それに伴い、2021年4月には、日米貿易協定に基づき、冷凍フライドポテトの関税撤廃が行われ、その日米貿易協定が発効された2020年には、アメリカ産牛肉の関税が大幅に引き下げられており、最初の一ヶ月の間に、「成長ホルモン」をたっぷりと使用したアメリカ産牛肉の輸入額は、およそ1・5倍にもなったといいます。(「世界で最初に飢えるのは日本」鈴木宣弘　講談社)

これらが意図的に行われているのではないか、とつい邪推してしまうのは、決して私だけではないと思います。

添加物について

米国では１９７１年に、「食事とがん」の問題について、５年ごとに国家として検討する「国家がん法」が設けられています。がん死を減らすためには、何よりも『食生活習慣』が重要であるとの認識で、米国の医学部２００校すべてに、栄養学講座が設けられています。そして、その研究や対策に対し、国から正式に費用が投じられているのです。

一方、日本には公衆衛生大学院も、栄養学について専門的に学べる場所も少なく、我々日本人はまるで、がんになるのを待っている様な食習慣に、慣れてしまっています。

（「今こそ知るべきガンの真相と終焉」小林常雄　創藝社）

『何よりも食生活習慣が重要である』との認識は、１９７１年以降の米国に例をとらずとも、古代ギリシャのヒポクラテスや、古代中国の医学書である黄帝内経等によっても、その重要性は十分に説かれているはずです。

欧米において、「ヨガ」を広く一般に広めた代表的な書物の一つである『あるヨギの自叙伝』の著者として知られる、パラマハンサ・ヨガナンダの師としても知られ、ヒンズー教の教えやインド哲学とキリスト教の聖書との間にある共通性を究明した、ヨガの大家であり学者でもあったスワミ・スリ・ユクテスワは、自身の著書の中の「自然の理にかなった生活とは」という項で、そのまず第一に『食物の選択が重要である』と書いています。「人間の本来の食物は何か」という設問に続く本文では、このようにも書いています。『人間の歯を観察してみると、肉食動物の歯にも、草食動物の歯にも、雑食動物の歯にも似ていない。そして、まさに果食動物の歯の特徴をそのままもっているのである。このことからまず、人間のからだは果実（果物、木の実、穀物、根菜類など）を常食とする果食動物であると推論することができる』（「聖なる科学」スワミ・スリ・ユクテスワ　森北出版株式会社）

また、各種穀物、果物、根菜類と、飲料としては、空気や日光にさらされた清水とが、人間にとって自然な食物ではないか、という見解が語られていますが、清水はもちろん、各種穀物と根菜類をベースに、そこに魚や海藻類を足せば、日本の昔ながらの伝統食と、ぴったり当てはまります。

何が体にとって良いかは、完全に個人差があるため、インドで書かれた説のそっくりそのままが、我々日本人に当てはまるということではないとは思いますが、歯の形状という観点で言えば、そこには一定の共通点があると言えるでしょう。

因みに、「木の実」というワードが出てきましたが、ナッツ類などには、天然の発がん物質の中では最も発がん性が高いと言われている「アフラトキシン」という物質が含まれており、ピーナッツやアーモンドなど、一般的に健康に良いとされているものでも、どの様にどのくらい摂取するのかは、よく考慮する必要がありそうです。（Renaissance vol.13吉野敏明 歯学博士、医療アナリストによる「食と病気と日本人――がんが増えた理由とは」参照）

さらに、日本国内でも多く流通しているアメリカ産のアーモンドは、主に二種類の方法で殺菌処理されており、「２００度以上の高温殺菌」もしくは「プロピレンオキシドガスで燻蒸して殺菌」の二種類です。後者のプロピレンオキシド（酸化プロピレン）には、発がん性や遺伝性疾患を指摘する声もあり、シロアリ駆除や、文化財・美術品の害虫被害防止に使われるものです。

どんな食べ物が体に合っているのかは、個人差だけでなく、人種による違いも重要な点です。

現代に生きる我々も、祖先から受け継がれてきたＤＮＡを受け継いでいるため、生物学的に日本人である限り、日本人の先祖が摂取してきた食べ物の歴史と、無関係ではいられません。

欧米人の多くが、大陸の内陸部にある水源の乏しい地域をルーツに持っており、当時の人々は飲み水の代わりに、果物などから抽出し、ある程度長期保存できるようにした水分を摂る、、つまり「ぶどう酒」などを、水の代わりに喉の渇きを癒すものとしていたため、必然的にお酒が強い体になっていったとする説があります。

一方、日本は国土の大部分が山であり、そこから流れる川の伏流も多くあり、さらに国土の周りは100%海です。飲み水の確保は、大陸内部の人々に比べて、格段に容易だったのではないでしょうか。結果、欧米人に比べて、水の代わりにお酒を日常的に摂取する必要のなかったことから、比較的日本人はお酒の弱い人が多いのかもしれません。

さて、スーパーやコンビニで売られている商品の多くに、添加物が含まれています。しかし国は、わずかな量なら、それを表記しなくてよい、としています。さらには、その「わずかな量」というのも、非常にあいまいであり、実際には人体に有害とされている成分を複数含んだ商品が、『無添加』と表記されて売られているのが現状です。

ハムやソーセージなどに使われる『亜硝酸塩』は、発ガン性を指摘されていることで有名であり、『人工甘味料』のとり過ぎは、米国では脳腫瘍の原因になると言われています。『防腐剤』『着色料』『香料』『発色剤』『乳化剤』『増粘剤』『酸化防止剤』『pH調整剤』など、添加物の種類は様々です。

また、明らかな健康被害が論じられている『トランス脂肪酸』については、特に日本では対策をほとんど何も講じておらず、なぜか野放しの状態となっています。

さらに、一度に摂取する量としてはわずかな発ガン性物質でも、動物性タンパク質との組み合わせで、強い発ガン性へと繋がる可能性があることも、指摘されています。食品の中の「アミノ基」や「カルボニル基」に、２００～３００度の高温が加えられることで、発ガン物質が生成されやすいと言われており、電子レンジを使うことで、添加物が発ガン物質へと変化してしまうこともあります。なお、電子レンジで温めるということは、『食品にマイクロ波と呼ばれる〝放射線〟を照射する』ということです。

ファスト・フィッシュ

お寿司やお刺身が好きな方は多いと思います。筆者もそうですが、魚を選ぶ際には気をつけています。

特に養殖の魚には畜産と同様、添加物や病気予防の抗生物質などの薬品が投与されていることが多いでしょう。また、漁網にも防汚剤が使われており、生産性を高めるため、過密状態のようなストレスのかかる環境で育てられていることも多いのです。

さらに、冷凍魚を解凍したものが「鮮魚」として当たり前の様に売られていることもあるそうで、大量に安く仕入れるため、2~3年前の魚であることもある様です。

魚は冷凍であっても酸化しやすいため、酸化防止剤も使われ、色味を保つための発色剤など、さまざまな薬品が使われています。

また、手軽に食べられるよう加工された水産物は「ファスト・フィッシュ」と呼ばれ、世の中にあらゆる形で流通しています。

幼稚園の給食など、子供が食べやすいようにと、あらかじめ骨が抜かれているそうですが、魚の骨だけを抜き取るのは大変です。筆者は若い頃に数年間、立派な生け簀のある割烹居酒屋の厨房で働いていました。そこで生魚の骨抜きをたくさんやりましたが、身が締まっているため抜き出すのにコツがいりますし、見落とすこともあります。

また、身が締まっているとはいえ、生魚ですので、力まかせにやってしまうと魚の身を痛めてしまいます。ですから、なかなか大変な作業なのです。料理をされる方やご自分で魚を捌かれる方なら、ご存知の方も多いでしょう。

では、子供用に骨が抜かれた魚は、どうしているのでしょうか。

自宅用に一尾、二尾ならともかく、商品用となると大量です。

近年は子供用だけでなく、高齢者施設や病院での需要も増えています。そのような場所で提供される「骨なし魚」の多くは、タイやベトナム、中国などの外国で加工されており、手作業で身崩れを起こした箇所を「結着剤」で固めて、形を整えます。

骨の誤飲を防止できるという観点もあるのかもしれませんが、ここまで読み進めてくださった読者の皆さんは、どう思われるでしょうか。

レンダリング

20代の頃の数年間、付帯設備の現場仕事をしていました。

ある時、製薬会社の施設へ作業に行きました。その現場には動物実験棟があり、敷地内にはなんとも表現できない独特な匂いが立ち込めており、到着して早々、胃のムカつきというか吐き気を覚え、息を吸うのも辛く、こんな中で重労働をするのか、と思いました。

動物実験棟のそばには、特殊な薬品の入った大きなタンクのような建物があり、その中で『あらゆるもの』が溶けている、と施設の方が説明してくれました。

そこから漂ってくる匂いと、動物実験棟から漏れてくる獣臭とが混ざりあい、なんともいえない匂いが終始鼻を突きます。その『あらゆるもの』とは、『あらゆる生き物』のことであり、つまりそういうことであり、さらには、その中を掃除する際、タンクの内側を外周に沿って人力で掃除して行くそうですが、過去に何人か薬品の液体の中に落ちて、溶けてしまったそうです。

さて、私たちが普段食べている肉の原料である家畜は、屠殺後、加工された部分以外の部分を、廃棄処理されます。

それをレンダリング処置といいます。

体毛や角や蹄の下処理は行われず、内臓に溜まった糞便も一緒にミンチにされ、高圧蒸気で加熱・消毒後、薬品で腐敗臭を消し、『アミノ酸』や『加水分解物』、『動物性油脂』という製品名になり、加工食品の原材料として使用されます。（「ガンになりたくなければコンビニ食をやめろ！」吉野敏明　青林堂）

また、信じたくない話ですが、ペット・ショップなどで売れ残ってしまった猫や犬などがレンダリングされ、その肉がペットフードとして使用されるという話もあります。

さらに、私たちが手軽に摂ることのできるサプリメントなどの製品に入っている、「タンパク加水分解物」とは、一体何から作られているのでしょうか。その明確な表示はありません。

製薬会社と食肉加工とペット産業の話は、まったく関係のない別業種の話のように思えますが、私にとってはどうしても、どこかでイメージが繋がってしまうのです。

加工食品やレンダリングのことを考えると、20代の頃に経験したあの強烈な匂いを、今でもかなり鮮明に思い出します。

小麦論争・緑の革命

現代では、瞑想法をはじめ、ヨガや気功や呼吸法やエクササイズ、ヴィーガンやマクロビオティック、漢方や薬膳、鍼灸などなど、健康に関する様々な情報があふれています。書籍やネットの動画など、楽しく学べるよう工夫された情報源がたくさんあります。しかし、なかなか判然としないものもあり、そのひとつが小麦に関することです。

前述のとおり、小麦には「グルテン」がふくまれており、それを極力避けようとする「グルテン・フリー」という言葉は多くの方がご存知だと思います。広く話題になったことから、インターネットで調べてみると、非常にたくさんの情報を得ることができます。しかし同時に、様々な情報が玉石混交、乱立しているため、異なった意見も数多く見受けられ、非常に分かりづらくなっています。

さらに、「グルテン・フリー」はダイエットと似ていて、なかなか継続するのが困難であり、その理由の一つが、

・「そもそも小麦について具体的に理解できていないため、いまいちグルテン・フリーの重要性にピンときていない」ということと、
・「日常に取り入れやすい実践方法が人によって違う」

という点が挙げられると思います。

かくいう私も、「今日は特別」といって、たまにはパンやケーキを食べることもありますし、ピザやパスタ、らーめん、うどん、お好み焼きなど、小麦を使った食べ物が大好きでした。

しかし、意識的に少しづつ摂取量を減らすことで、小麦を使用した製品を以前ほど食べたいとは感じなくなりました。グルテンには依存性があると言われるため、その効果が薄まってきたのかもしれません。その〝たまに〟も、近年はさらに頻度が減ってきています。

念のため断っておきますが、私は何も、イタリアン・レストランやケーキ屋さんやラーメン屋さんに、全く行かないわけではありません。むしろイタリアンもケーキもラーメン

も元々は大好きなのです。ですから、たまにどうしても食べたくなったら、その時は迷わずお店に行きます。

特に外で人と食事をするときなどは、料理を作ってくれた人、食材を作ってくれた人、食材そのものとそれを吸収し自分の糧としてくれる身体に感謝しながら、『食べるということの喜び』を堪能します。

晩年に、食べるということそのものがままならず、食べたいのに口に入れれば吐いてしまう、あるいは飲み込んでも、すぐに苦悶の表情を浮かべ寝込んでしまう、という状態だった父。

お腹は減っているのに食べられず、みるみる痩せこけていった父の姿を、決して忘れることはありません。

そして父と同じ様に、不条理に病に蝕まれ、『その原因がなんであったかも知らされることなく亡くなっていったであろうたくさんの方』の無念を思うと、自分はどうあるべきかを考えさせられます。

さて、個人的な話に逸れてしまいましたが、ここからは小麦の定義を一緒に整理していきましょう。

まず、小麦の原産地は、ユーラシア大陸中部のコーカサス地方からメソポタミア地方にかけて、と言われています。北は山岳地帯、南は砂漠地帯に挟まれた、オリエント文明の中心地です。温暖な気候と肥沃な大地に恵まれ、野生のムギ類が自生していました。

野生の一粒系コムギの栽培は、紀元前８４００年頃に始まったと考えられており、紀元前７０５０年頃のトルコ南東部の、農耕集落の遺跡のＤＮＡ分析や放射性同位元素分析などから、すでにその頃、野生のコムギ類を食べていたということが判明しているそうです。

現代の私たちが食べている小麦は主に、もともと自然界に自生していた野生コムギとは別物です。

野生コムギは三種類あり、「ヒトツブコムギ」「クサビコムギ」「タルホコムギ」の三つです。

その中の「ヒトツブコムギ」と「クサビコムギ」が交雑し、雑種が生まれました。そこに倍数化と呼ばれる、細胞分裂の際に偶然ゲノムが増える現象が起き、「フタツブコムギ」が生まれます。

その後「フタツブコムギ」と「タルホコムギ」が交雑して、新たな雑種が生まれます。

さらに倍数化が起こり、現代の私たちが食べている小麦の祖先といわれる「普通コムギ」が誕生します。

まとめると、

・元々自然界に自生していた野生コムギは「ヒトツブコムギ」「クサビコムギ」「タルホコムギ」の三種類
・一粒系コムギは「交雑もしていないし、品種改良もされていない原種の小麦」
・二粒系コムギは「一粒系コムギがクサビコムギと交雑して生まれたもの」
・普通系コムギは「二粒系コムギがタルホコムギと交雑して生まれたもの」

そして1940年代、小麦の高収量品種開発が始まりといわれている『緑の革命』によって、人為的に生み出された品種が、現在私たちが食べている小麦の主流です。

具体的には、「フタツブコムギ」を品種改良して人為的に生み出されたのが、パスタなどに使われる「マカロニコムギ（デュラムコムギ）」であり、「普通コムギ」を品種改良して人為的に生み出されたのが、パンや麺類に使われる「パンコムギ」です。（以上、小麦について、吉野敏明医師による解説動画「よしりん、今問題の小麦問題を全面解決⁉YouTube 吉野敏明チャンネル ～日本の病を治す～」より抜粋、引用させていただきました）

小麦は体に悪い、といった主旨の話をすると、欧米人はパンやパスタのような小麦ばかり食べているのに特に日本人より病気が多くないじゃないか、と言う人がいます。

欧米人は何千年も前から小麦を食べてきています。日本人も麦は食べていましたが、ほとんどは大麦でしょう。ですから小麦を食べてきた歴史はまだ日が浅く、遺伝子的に慣れていないのです。反対に、日本人がずっと食べてきている海藻などは、欧米人の多くには栄養として分解・吸収することができない、と言われています。また前述の通り、お酒なども日本人より欧米人の方が強い傾向があるのは、ルーツであるヨーロッパ中央部など、かつては衛生的な水の確保が難しい地域でした。日本の様に綺麗な川や湖があちこちにあるわけではなかったのです。そのため、飲み水の代わりとして、ぶどう酒を持ち歩いたのです。お酒であれば、簡単に腐ることもなく日持ちします。ですから、日常的にお酒を飲む歴史があるため、西洋人の方がお酒が強くなったのだとする説があります。そのようなことからも、自分の体に何が合うのかは、自身のDNAのルーツである先祖が暮らしていた地域のものを食べると良いと言われています。私の場合は両親の両親である、父方の祖父母と母方の祖父母のルーツの4分の3が東京で4分の1が大阪です。そのため、江戸野菜や京野菜などが体に合うのかもしれないと思い、その様な作物を自分で作ったりしています。

主に、開発途上国の人口増加による食糧危機に対処するため、という理由から始まったとされる『緑の革命』ですが、それにより生み出された新品種は小麦だけではなく、イネやトウモロコシなどがあり、途上国における食料不足の解消や、食料自給体制の確立を促した側面も確かにあります。しかしそれらは、大量の農薬や化学肥料、あらゆる農耕機具の導入などを前提とするものであり、計画的に行われたものでした。

メキシコ政府やアメリカ国内の各農業研究所、フィリピンの国際イネ研究所などと連携し、世界的な流れへと拡大していった『緑の革命』ですが、この運動を主導して行なっていたのが、「ロックフェラー財団」でした。

米国最大の穀物・精肉メーカー「カーギル」の遺伝子組換え作物の研究を行なっている

のが、旧モンサント社です。モンサント社は現在、バイエルに買収され企業名は消失しましたが、前述の除草剤ラウンドアップを開発した会社であり、ベトナム戦争で使われた枯葉剤の製造メーカーであり、遺伝子組換え作物を育種して、除草剤とセットで販売しています。

そして、「カーギル」と「モンサント」に、研究費を出していたのが「ロックフェラー財団」といわれています。具体的には、デイビッド・ロックフェラーが会長を務めるチェイス・マンハッタン銀行が、カーギルの資金面を支えていたといわれており、さらに、石油王の初代ジョン・D・ロックフェラーの娘が、農耕機を発明したサイラス・マコーミックの息子と結婚しています。

そして、新種の穀物を作るために使われる、大量の化学肥料、農薬、除草剤、殺虫剤など、それらも当然ロックフェラーの商品群であり、１９４４年には、アイオワの農夫だったノーマン・ボーローグをメキシコへ送り、新種の小麦を作らせ、１９５９年には、園芸家でありニュー・ハンプシャー大学の学長も務めたロバート・チャンドラーをフィリピンに送り込み、それまでの３倍以上もの化学肥料を必要とする新種の米を作らせたのでした。

ブルー・ベイビー事件と硝酸態窒素の話

筆者は無農薬で野菜を育てていると、冒頭で書きました。農薬も肥料も除草剤も堆肥も使わない私の農法は、「自然農法」とか「自然栽培」と呼ばれる農法に属すると思います。厳密には「自然農法」と「自然栽培」は、全く同じものではないかもしれませんが、それらをベースに、日本の伝統農法や西洋のコンパニオン・プランツなどの勉強もしています。

無農薬というと、「有機栽培」が有名です。「有機栽培、オーガニックは安全」というイメージが強いと思いますが、厳密にいうと、実際はそんなに単純な話ではありません。

「自然栽培」と「有機栽培」はよく混同されますが、まったく別のものです。

「有機栽培」は、JAS法により認可された農薬・肥料・堆肥などを使って栽培する方法です。

「自然栽培」は、農薬・肥料・堆肥などを使わない農法です。

例えば、十分に熟していない「未熟堆肥」を使って栽培しても、「有機栽培」と表記されますが、未熟堆肥の使用は、危険であるという指摘もあります。

飼育地で草地に放たれた牛は、自分が排泄したフンの場所に生える草を、五年間は食べないと言われています。牛はそれが毒であることを、本能的に知っているからです。

では何が毒であると言われているのかというと、『硝酸態窒素』です（これが間違いであるとする主張もあります）。簡単に言ってしまうと、窒素が酸化したものです。

この硝酸態窒素は、有機栽培で作られた作物から、多く出てくると言わています。

有機肥料として使われる、菜種油粕などの遺伝子組み換え肥料をはじめ、畜産廃棄物である牛糞等には、餌である遺伝子組み換えの飼料が残留していることも多く、腐敗分解を起こし、硝酸態窒素が多くできてしまうからではないか、とされています。

日本ではあまり一般的に知られていませんが、海外の先進国ではよく知られていることです。日本の作物が海外であまり歓迎されない理由の一つが、この硝酸態窒素に対する規制がまだまだ緩いためです。

窒素は、リン酸やカリウムのように、野菜の成長に必要なものとされています。

窒素自体は空気中にも土中にもありますが、そのままだと、植物が栄養分として吸収できません。土中の窒素は、微生物による分解などを経て酸化し、アンモニア態窒素や硝酸態窒素になり、植物はそれを根から吸収します。

しかし、硝酸態窒素量が過多になると、それらは過剰分として作物内に残留してしまいます。作物にとって必要な硝酸態窒素ですが、それが人間や動物の体に入ると、発がん性をはじめ、大変な毒性があると危惧する声もあります。

その理由の一つが、1956年にアメリカで起きた「ブルーベイビー事件」と呼ばれる痛ましい事故です。有名な事件なので、ご存知の方もいるでしょう。

裏ごししたホウレン草を、赤ん坊に離乳食として与えたところ、顔が真っ青になり、30分もしないうちに亡くなってしまったという事件です。278人もの赤ん坊が中毒にかかり、39人が亡くなったと言われており、同様の事故は、1986年までに2000件ほど起こったとWHOが伝えています。

しかし当時、この中毒症状は硝酸態窒素が原因であると考えられていましたが、1996年には、地下水の細菌が原因ではないかとする意見も出始めます。

ただし、EUでは食品の硝酸態窒素の残留濃度について、厳しく規制されているのは事実であり、特に日本では、未熟堆肥に関する規制がないことを指摘する人もいます。

日本で昔から行われていた農法では、肥溜めを作り、それを肥料としていましたが、少なくとも自然の力を借りて4年も5年もかけて完熟堆肥にしてから、畑に施していました。

しかし現在使われている有機肥料の多くが、1年くらいで作ったと言われる未熟堆肥です。この未熟堆肥で育てられた作物には、先述した通り、硝酸態窒素が多く含まれているのです。いずれにせよ、硝酸態窒素（硝酸塩）の危険性について疑問視する研究もあり、この本でその可否を断定することはできません。一つの情報として、読者の皆様の判断材料になれば幸いです。

生野菜に潜む危険性

葉物野菜の緑色は、虫や草食動物に見つからないようにするための保護色である、という説があります。

さらに、植物は虫や動物が食べにきても、逃げることができません。そのため、身を守るために「シュウ酸」という毒素を持っています。

人間が食べる際にも、野菜に含まれるシュウ酸には注意が必要です。シュウ酸は体内でカルシウムとくっつき、それが溜まると尿路結石になったりします。

シュウ酸の含有量が最も多いと言われているのはホウレン草で、次いでキャベツやブロッコリーなどですが、いずれにせよ葉物野菜に多く含まれる傾向があるようです。

昔から日本では野菜を塩で揉んだり、おひたしにしたり、漬物にしたりしていましたが、それらはシュウ酸を抜くための知恵であったのかもしれません。

例えば、ホウレン草ならば、食べ過ぎないことはもちろん、おひたしなどにして、そこに鰹節を入れることで、体内に入れる前にホウレン草のシュウ酸と鰹節のカルシウムを結びつけることで、体内で石ができにくくするといった食べ方もあります。

野菜を塩で揉むと、アクのような汁が出ますが、そこにシュウ酸が抜け出ているのです。ですから、そのような汁を体内に摂取することは、避けたほうがよいでしょう。ホウレン草などを煮た、煮汁なども同様です。


戦前まで、元々日本では野菜を生で食べる習慣はありませんでした。

かつては農薬などが海外から持ち込まれる前でしたので、農業は無農薬が基本でした。

作物は薬で虫から守ってもらうのではなく、自分で自分の身を守る必要がありました。そのため、虫に食べられないようシュウ酸を多く含んでおり、さらにその強いシュウ酸にも負けない寄生虫などもいたため、当時の日本人にとっては、野菜を生で食べるといった発想はなかったでしょう。

また、「サラダ」を意味する英語「salad」の語源は、「塩」を意味するラテン語の「sal」からきており、古代ギリシャで野草に塩を振って食べたのがはじまりとする説があります。日本人がサラダを食べるようになったのは、欧米の食習慣が入ってきた明治以降、一般家庭に普及したのは戦後と言われています。

その際に、アメリカからシュウ酸の少ない品種のレタスが、日本に持ち込まれています。そして、シュウ酸が少ないということは、虫に食べられやすいことを意味します。そうした品種の栽培、特に大量生産には、やはり農薬や化学肥料が必要になるのです。

また、犬や猫などに手作りのご飯をあげている方もいると思います。その際、良かれと思って、野菜を与えてしまうと、そのシュウ酸が人間同様に、結石の原因になることもあるといわれています。

ですから、「生野菜は体に良い」とか、「野菜はたくさん食べれば食べるほど体に良い」

といったことは、人間にも動物にも簡単に言えることではありません。

家族の一員である犬や猫に、なるべく体に良い物を、という気持ちは当然です。筆者の実家にも、可愛い猫がおりましたが、晩年はがんを患い、苦しんで亡くなってしまいました。今思うと、食事にもっと気をつけていればよかった、と心から思います。

ここまで、食べ物に関する様々な危険について書いてきましたが、なぜ日本でがんをはじめあらゆる病気が増えているのか、その理由の一端が垣間見れたと思います。市販品を買うときはせめて、「原材料名の表示がなるべくシンプルなもの」を選ぶよう、また、食材は可能な限り、安全なものを手に入れられる場所を見つけておくよう、心掛けたいものです。

第2章

Narrative
（作り話）

現在、情報戦という
世界大戦下にあることに、
日本人が気づけない訳

事実か現実か

今、世界で何が進行しているのでしょうか？

そして、どうして我々はそれら事実を知らず、気づくことができないのでしょうか？

私たちが自分で知っていると思っている知識やその情報は、事実に基づいたものでしょうか、それとも現実に基づいたものでしょうか？


ガリレオが「地動説」を唱えて宗教裁判にかけられたのは、宗教的な教義の問題で指摘された面もあると同時に、人々が『事実』よりも自分の認識している『現実』の方を重視しすぎたことが、原因の一つではないでしょうか。実際に、ガリレオが地動説を支持する旨を公にした時、教会からだけでなく、国中から猛烈に非難されたそうです。

時系列で言えばガリレオより前の話になりますが、同じ様に地動説を支持したジョルダーノ・ブルーノは、裁判どころか火刑に処されてしまいました。

しかしガリレオもジョルダーノも、『事実』を述べたのです。地球は回っている、と。

当時一般に広く信じられ、常識とされていた、地球を中心に宇宙が運行しているという、人々が慣れ親しんだ「天動説」という『現実』から、当時の人々は視点を変えられませんでした。新しく提示された『事実』に対して、自己防衛的な認識で対応することしか、できなかったのです。

この世の中で最もきついことの一つは、「自分が変わる」ということです。

故に、どうしても人は、自分の考えを変えることを、無意識に避けようとしがちです。

ですから、『事実』か『現実』か、これは本当に大きな違いなのです。

当時の人々が、足元にある平らで固い地面を見て、自分が「回転する球体の上に立っている」とは想像できなかったとしても、その気持ちは理解できます。その意味においては、人々に悪意があったとは言いたくありません。

しかし、自分が実際に体験し、こうだと信じている『現実』を信じ続けることは、心地よいことだし、簡単なことです。そこには、なんの個人的リスクもありません。それに対し『事実』は、「自分がどう思いたいか」とは関係ありません。

そして、私たちが信じたいか信じたくないかに関わらず、この世の中には「本当のことを知られると困る人々がいる」ということは、『私（筆者）が信じたい現実』ではなく、『私（筆者）ができれば信じたくない事実』なのです。

我々は何を見せられているのか①〜BLM運動について〜

2020年5月25日、アメリカ中西部のミネソタ州で、店員から「アルコール、もしくは薬物を使用している様に見える男が、偽札を使おうとしている」と通報がありました。

逮捕時の様子は携帯電話で録画され、インターネット上に公開されると、瞬く間に世界中で大きな反応が起こりました。

映像には、大柄な黒人男性が、白人警察官に膝で首を地面に押さえられ、拘束されている様子が映っていました。そして容疑者である黒人男性は「息ができない」と訴えています。ビデオの開始数分を過ぎた辺りでは、すでに意識を失っている様にも見えます。さらにその数分後、彼は救急車で搬送され、しばらくして死亡が確認されたということです。

死亡した黒人男性の名前は、ジョージ・フロイド。聞いたことがある方も多いはずです。

当時日本でも、「白人警官の人種差別的暴力による、無抵抗な黒人男性の死」という形で、ニュースやワイドショーで報じられていました。

この事件を発端として、全米的な運動へと発展したのが、「Black Lives Matter（ブラック・ライブズ・マター。※主に「黒人の命も大切」などと訳される）」として知られるBLM運動です。

報道を受け、数日のうちに、事件の舞台となったミネアポリスではBLMのメッセージを掲げた人々による暴動が起こりました。暴徒たちは企業や店舗に火をつけ、略奪行為を繰り返し、それらは全米へと波及していきました。

暴動で逮捕された人々を救済するため、各界の著名人らも即座に、暴動への参加者らを支援する動きをはじめました。結果、この暴動により、10人以上の黒人が亡くなっています。

一方、世界各地からジョージ・フロイドを讃える著名人が声をあげはじめました。

アメリカではジョー・バイデンが、黒人運動の指導者アル・シャープトンが、セレブリティ、ミュージシャン、政治家が、彼を讃える声明を発表しました。

国中にフロイドの肖像が壁画として描かれ、3都市で同時に行われた追悼式は、6日間にわたりテレビで同時中継されました。またたく間にフロイドの家族を支援するための数百万ドルのお金が集まり、ジョージ・フロイドはアメリカの人種差別社会における殉教者となったのでした。

当時、BLMについてSNS（現Xのツイッターや、インスタグラムやフェイスブックやユーチューブ等）などで発信し、差別反対を訴えていたミュージシャンや著名人のみならず一般人は、日本にもたくさんいます。

私（筆者）は、みんなが自分のプロフィール写真を黒一色に変えたり、BLMのバッジをつけた写真を投稿したりしているのを、ただ黙って見ていました。それが正しいことなのかどうか、その時点ではまだ、自分には分からなかったからです。

ジョージ・フロイドという人物は、どういう人間だったのでしょうか?

私がはっきりしておきたいのは、どんなことであっても、誰かが殺されるべきではないのです。

ジョージ・フロイドは、殺されるよりも、むしろきちんと逮捕されるべきでした。

日本での報道は、何でもそうですが、いっときの話題性が薄れると、その後の経過は全く報道しません。それでもう、問題は解決したかの様な気分になってしまう我々国民にも、問題があるということは言うまでもありません。

ともあれ、私は引き続き、海外の情報を追い続けました。すると間も無く、聞いたこともない事実が次々と出てきました。今ではそれらの情報は、アメリカではかなり広く知られた事実になっていますが、日本の大手メディアで報じられているのを、見たことも聞いたことも、今のところありません。

１９９０年代の前半、ジョージ・フロイドは窃盗と薬物を配達した罪で裁判にかけられ、共に有罪判決を受けました。その後、１９９８年には銃器を用いた窃盗罪で10ヶ月服役し、２００２年にはコカインに関する罪で８ヶ月服役、２００４年には別のコカインに関する罪で10ヶ月の判決を受けました。２００５年にはコカイン所持により、薬物の売人とみなされ10ヶ月収監。２００９年には、２００７年に彼が犯した恐ろしい犯罪に対する判決が下されています。

彼は5人の仲間の男性と共に、水道局職員を装い、幼児のいる女性の自宅へ無理やり侵入しました。

被害者の証言によると、ジョージ・フロイドは弾丸の装塡された銃を女性の『大きくなったお腹』に押し付け、他の仲間が銃で彼女の側頭部を殴りつけたのです。この件に関して、フロイドは罪を認めました。それから5年後、2012年に釈放されました。

この様な事実について当時、主流メディアは一切触れませんでした。

アメリカはもちろん、日本ではさらに偏った情報しか報道されていませんでした。さらに時が経った現在（2023年）でさえ、私の知る限り、未だに日本の大手メディアでは一切報じられていません。

インターネットで、同じ語句を日本語と英語で検索し比べてみると、ヒットする件数が異常に違うものがあります。

得られる情報の質も、雲泥の差があります。

それは、日本語よりも英語の方が世界的に多く使われているから、という理由だけではないと、私は思います。

現代は、ＡＩによる自動翻訳や無料で手軽に使える翻訳機能がネット上に溢れています。精度は特別高いとは言えませんし、単純な誤訳や意味の反転などもたまにありますが、簡単な文章ならば、おおよその内容は摑めます。その様な機能も駆使して、想像力を働かせながら情報収集をしてみるのも、一興ではないかと思います。

さて、検死官の報告書によると、警察官が駆けつけた時、フロイドはモルヒネの50〜100倍の効力を持つと言われる、オピオイド（鎮痛・陶酔作用のあるとされる化合物の一種）のフェンタニルを摂取していました。命の危険のある、非常に強力な薬です。さらに報告書によれば、メタンフェタミンも体内に混入していたことが分かっています。

警察官が彼を地面に寝かせて押さえつけるよりもずっと前の段階から、ジョージ・フロイドが「息ができない」と言っていたことの説明になります。

「閉所恐怖症なので息ができない」と最初に彼が主張した時、彼は押さえつけられていたのでも何でもなく、直立して立っていた時だったのを、映像が証明しています。

以上、ジョージ・フロイドに関する情報の多くを、『ブラック・アウト』（キャンディス・オーウェンズ著、我那覇真子訳、福島朋子共同翻訳、ジェイソン・モーガン監訳方丈社）より、引用させていただきました。

あまり言いたいことではありませんが、ハリウッドのスターやアイドル、ミュージシャン、大金持ちの有名人など、いわゆる人気商売の人々の中の、ある一定数の人々は、自身のイメージアップのためなら何でもするというのが、彼らの一部に対する私の印象です。事実か現実かなど、どうでもよいのです。あるいは、情報の真偽を確かめるために自ら調べる、ということをしないようです。

しかし残念ながら、それと似た様な傾向が、数年前までの私自身も含め、特に日本人に多く見受けられます。そしてＢＬＭ運動の扇動者たちが、自らをマルクス主義者であると公表していることは、少し調べれば分かることですが、ご存知ない方が多いでしょう。

多くの日本人は、政府やメディアが、しかも『日本の』マスコミが嘘をつくわけない。と思い込んでいるのです。だから自ら調べることもなく、鵜呑みにしてしまうのです。

これは悲しいことに、現代の日本人の国民性でもあります。なんでも人任せにしてしまうのです。

災害時は、自衛隊がなんとかしてくれるだろうから備蓄などは後回し、国防は自衛隊とアメリカがやってくれるだろうから自分には何もできることはない、政治は誰かがやってくれるだろうから選挙にもいかない、日本の未来（子供たちの未来）は国の頭の良い人達が色々と考えてくれてるはずだから自分にはどうすることもできない、難しい話はよく分からないから自分には関係ない等々、、、

耳の痛い話ですが、これが多くの日本人の実際ではないでしょうか。

もちろん、そういう人のほとんどが、悪気もなければ、会ってみれば優しくて普通の、いわゆる良い人です。そうです、日本人は本当にみんな、真面目で優しいのです。真面目で優しくて純粋なのです。

人を疑うことは人間としてよくないことの様な感覚があります。人の悪い部分よりは良い部分に目を向けてやるべきだ、という感覚があります。根っからの性善説。それらはどれも素晴らしいものですが、しかし同時に、それだけではダメなのです。なぜなら、それらはすべて、ただ『現実』だけを見て『事実』に目を向けていないからです。それでは、たとえ目の前に『事実』が通り過ぎても、それが『事実』だと気付けないからです。

さて、何故この問題に触れたのか。

それはこの話が決して、単なる人種差別の問題や偏向報道の問題に止まる話ではないからです。

人種差別という根深い問題を〝利用して〟、別の運動を助長させる、あるいはさらに大きな計画を推進するための、道具としている人々がいるのです。

ＢＬＭを主導した何人かは、一連の騒動のあと、数億円と言われる大豪邸に引っ越しました。そのうちの一人は、新たに豪邸を購入したと、これを書いているつい数日前に、海外メディアの報道で目にしました。もちろん日本では、ほんのごく一部の言論人やジャーナリスト以外、誰も話題にしていません。

そして「黒人のために！」と叫んでいたはずの、そのＢＬＭ運動によって、結果、多くの黒人が仕事を奪われたり、亡くなったりしているのは、なぜなのでしょうか。

人種の違いにより見られる文化や習慣、考え方の違いなどを利用して、そこに問題あるいは「問題意識」を生み出し、人々を分断させる。

これは、ジェンダー（性）問題、環境問題など、形を変えて様々な分野で実行されていることです。しかし、その実態は非常に見えずらいため、一部の想像力豊かな人々の妄想だと言われてしまいます。

それがよく言われる「陰謀論」という言葉です。しかしこの陰謀論という言葉も、意図的に作り出され、流布されたものです。

では、誰が、何のために？

それはこの本の中で段階的に示唆していきたいと思いますが、ここで確認しておきたいのは、真面目で性善説で優しい、故に日本人は洗脳されやすい＝洗脳しやすい人々である、ということです。そして、それを見抜き、人の善意を悪用することに長けた人々がいるということです。

そう思うに至ったきっかけは、責任を背負わない現代の日本人的な優しさの偽善を、正に自分の中にも感じたからであり、そのことで人を見る目がはっきりと変わっていったことです。

かつてひとときでも、アメリカに暮らしていた時に感じた、「外から日本を見る目」の重要性と同じように、自分を含めた現代日本人の偽善的な心に気がつくことではじめて、日本という国の置かれた状況を客観的に分析できるようになるのではないかと思います。

その自覚なくして、物事を冷静に俯瞰して見ることは、非常に難しいと今の私は痛感しています。

このテーマの最後に、レーガン政権では司法長官の筆頭補佐を務め、弁護士であり「全米ラジオの殿堂」入りも果たしたラジオ番組司会者でもある、マーク・R・レヴィン（Mark R.Levin）氏が自身の番組LevinTVの動画内で語った言葉を紹介しましょう。

『Black Lives Matter（ブラック・ライブズ・マター）の創設者の一人、彼女の名前をパトリス・カラーズ（Patrisse Cullors）と言います。以前私はＢＬＭという組織のことを、マルクス主義、無政府主義、そして反ユダヤ主義のグループであると言いましたが、本当にその通りなのです。～中略～　彼らは非常に潤沢な資金を持ち、アメリカ全土で極めてよく統率されています。まるでウェザー・アンダーグラウンド（筆者注：極左テロ組織。米国各地で爆破テロなどを行い、ＦＢＩからテロ組織認定され、１９７７年に解散したとされる。パトリス・カラーズはこのテロ組織の元メンバーが立ち上げた組織で訓練を受けたとされている）のようですが、ＢＬＭはマルクス主義を広めるために人種問題を巧妙に利用しています。マルクス自身も「手段は選ぶな」と言っていました。環境保護運動や不法移民の受け入れ促進も、マルクスの思想に依拠しています。しかも彼女自身が言っているように、ＢＬＭは訓練されたマルクス主義者です』

マーク・レヴィン氏は続けて、番組の中でパトリス・カラーズがＢＬＭについて語っている動画を紹介します。その中で彼女はこう話しています。

『私たちはイデオロギーとしての枠組みを用いており、特に私やアリシア（筆者注：共同代表のアリシア・ガーザのことと思われる）は訓練を受けたオーガナイザー（組織を代表する立場の人間）であり、マルクス主義者です。イデオロギー（観念や思想）的な理論に精通しており、私たちがやろうとしているのは、多くの黒人が利用できる運動を構築することです』

この言葉を受けて、レヴィン氏は続けます。

『多くの黒人が利用できる運動を構築している。（と彼女は言いますが、）しかしこれは黒人のためだけではありません。彼女らはアメリカ全土でマルクス主義運動を展開し、それは成功を収めています。なぜなら多くの人々が、個人の感情や利害を、この運動に重ねてしまっているからです。無意識にそうなっている人もいます』

続いてレヴィン氏は、パトリス・カラーズが２０２０年にＣＮＮに出演した時の映像を紹介します。その中で、司会者からバイデンとトランプについての見解を求められ、彼女ははっきりとこう述べます。

『私たち（ＢＬＭ）はトランプを退陣させるために運動を続けていきます。〜中略〜　私たちの目標はトランプを排除することです』

レヴィン氏は言います。

『つまり、国家を転覆させトランプを追い出すことを目的としたマルクス主義および無政府主義運動、それがＢＬＭ運動なのです』

元動画はYoutubeで公開されていますので、ＵＲＬを掲載しておきます。英語ですが自動翻訳機能もありますので、おおまかな内容は摑めると思います。

https://www.youtube.com/watch?v=zox3e-JQ6-M

２０２０年5月のジョージ・フロイド事件以降、ＢＬＭ財団の財源は大幅に増え、影響力も拡大したと言われています。なお、パトリス・カラーズは２０２１年、小型の自家用飛行機を収納できるガレージ付きの家を含む、４件の豪邸を購入したと報じられています。その後２０２２年には、５件目の高級物件の購入も発覚しています。

また、マルクス主義や共産主義については、後の章で適宜触れて行きます。

我々は何を見せられているのか②～ウクライナ戦争について～

ウクライナでの戦争により、日本でも物価が高騰し、農家の経営から家庭の光熱費にいたるまで、我々の生活全般に大きく影響を与えました。

食の安全保障に関しては、参考図書一覧にもあります『世界で最初に飢えるのは日本』（鈴木宣弘　講談社）や『ルポ　食が壊れる　私たちは何を食べさせられるのか？』（堤未果　文藝春秋）に詳述されています。どちらも現在の日本が置かれている状況を理解するのに重要な内容が記されており、食に関する本書の内容も、それらから大いに感化されています。

様々な角度から調べていくと、「食」というテーマひとつ取っても、政治や経済といった国際情勢全般と密接に関わっていることが分かってきます。


まず大前提として、戦争も侵略も悪です。

そして、爆弾やミサイルを使うまでもなく、食べ物や物資の供給を断てば、一国を弱体化させることができます。

現代においては物流をコントロールすることで、それは可能です。昔で言えば、兵糧攻めでしょうか。

かつて日本が日米戦争へと飲みこまれていったのも、アメリカの日本に対する経済制裁により、石油や鉄くずなどの供給を絶たれたことによる窮乏が、大きな要因の一つでした。

資源もそうですが、日本の食料自給率の低さを考えれば、日本がいかに他国に対し、脆弱であるかが分かります。したがって、自国の食料自給率に着目しないことは、もはや国防も何もないのに等しいのです。

どんなに高性能なミサイルがあっても、食べ物がなくては戦えませんし、どれだけお金があっても、種子がなければ作物は育てられません。

そして第二次世界大戦中、兵士の死因の多くが「餓死」でした。

第1章では、日本の危険な食事情について触れましたが、食料自給率の低さについてはあまり触れませんでした。ではいったいなぜ、日本はそのような脆い国になってしまったのでしょうか。

アメリカとNATOによるウクライナでの戦争は、ヨーロッパの物流に混乱を来しました。

この度の戦争を多くの方が、ロシアのプーチンが一方的にしかけた侵略戦争だと思われているかもしれませんが、あくまでもそれは大手メディアの流している一面的な情報であり、その情報は確かなものなのでしょうか。

はじめに断っておきますが、本書にプーチン・ロシアを一方的に擁護する意図はありませんし、また、ウクライナ政権に対してもです。

と同時に、日本のメディアでよく見られる一種の『喧嘩両成敗』論のような見方も、支持しません。「どっちもどっち」といった日本人的な考え方は、一見平和的なように見えますが、問題を単純化し過ぎているような気がします。
また、基本的に如何なる理由においても、戦争を支持しません。
さて、以下に挙げる情報は、日本ではあまり大きく報じられていませんが、どれも公開情報です。

2022年4月8日、日本の公安調査庁は、ウクライナのアゾフ大隊（アゾフ連隊）に関する記載を、ホームページ上の「国際テロリズム要覧2021」から突然削除しました。公安調査庁はその理由として、「要覧は、各種報道や研究機関の報告書等から収集した公開情報をまとめたものであり、独自の見解ではない」とする旨の説明を、同日ホームページ上で公開していますが、ロシアが軍事侵攻の理由の一つとして挙げていた『ウクライナの非ナチ化』の妥当性を、日本の政府機関が裏付けていた証拠である、とする向きもあります。

その一週間ほど前の4月1日、駐日ロシア大使館は、「日本の公安調査庁が、ウクライナのアゾフ大隊をネオナチであると認めた」という旨のツイートを投稿しており、公安調査庁の対応に対し、ロシア外務省ザハロワ報道官は、「遺憾ながら日本は、アジアの中でロシア嫌悪の一列目に立った」という旨を語っています。

アラブニュース・ジャパンの記事によると、アゾフ大隊は、ウクライナで活動する極右ネオナチグループによる歩兵部隊として創設され、その後、ウクライナの国家親衛隊に統合されたということです。

ロシア捜査委員会は2015年、「アゾフ大隊」の戦闘員による「誘拐」、「虐待」、「禁止されている戦争の手段・方法の使用」について刑事事件として捜査を開始したこと。更に、国連人権高等弁務官事務所の2016年の報告書では、2014年に「アゾフ大隊」の兵士により民間人が暴行、拷問されたことが明らかにされています。（「スプートニク」日本版、2022年4月）

また、アメリカのCNNの現地取材班は2014年、2015年当時、ウクライナのマリウポリやその周辺地域において、アゾフがネオナチのエンブレムを採用していることを報じていました。

実際、アゾフ大隊はウクライナ軍に統合される以前から、白人至上主義やネオナチ思想を指摘されることが度々ありました。さらに、アゾフ大隊は２０１４年に白人至上主義極右思想の外国人義勇兵も含めた民兵組織として発足しており、部隊章にはナチスの部隊が使用していたことで知られる「ヴォルフスアンゲル」のエンブレムを採用しています。また、ナチスの鉤十字の刺青を入れたアゾフ部隊員の映る写真が、現地を取材したジャーナリストや現住民によって拡散されており、確認することができます。

以上のような報道は、日本の大手メディアではまず目にすることはありません。現代では、ディープ・フェイクなど、ＡＩを使用して高度に作られたフェイク（偽）動画や画像なども出回っているため、幾重にも注意が必要です。そのため、先ほど述べた『ナチスの鉤十字の刺青を入れたアゾフ部隊員の映る写真』も含め、情報の真偽というものは、それが何であれ、１００％確認するということはできませんが、大手メディアが言っていることだけが、世の中で起こっていることではないのです。むしろ、ほとんどの事実は全く報道されません。それが重要であればあるほど、というのが私の実感です。

そして、もしかするとロシアの言う「ウクライナの非ナチ化」とは、アゾフ大隊を解体する、という意味なのかもしれません。

念のためもう一度明記しておきますが、本書は一方的にロシアを擁護する立場でもウクライナを支持する立場でもありません。

現代は戦争＝情報戦です。双方にプロパガンダを流しているでしょうし、そのためには意図的な誤情報の拡散もしているでしょう。今日報じられた内容が2、3日後には覆されるということはよくあることです。現代においてはそれが、『戦争に関する報道』に接する時に必要な「心構え」です。どんな情報にも、一定の距離を保ち、判断を急がないことが大切です。

また、我々日本人の一般的な感覚では、「ナチ」と聞いてまず思い浮かぶのは、ドイツのヒトラーが率いたナチスでしょう。しかしプーチンの言う「ナチ」とは、直接ヒトラーの率いたナチスのことのみを指しているわけではなく、おそらく『民族国家主義者』のことでしょう。特定の民族を他の民族よりも優れているとして、自分たちの民族以外を差別する危険思想を持つ人々のことです。

ヨーロッパでは、そのような『優生思想』を持った「ナチ」が多くいる国や地域は実際に存在します。そしてウクライナにおける特徴は、政府の中に「ナチ」がいるという点です。

ウクライナのゼレンスキー大統領はユダヤ系です。そのため、「ユダヤ人を迫害したナチスと手を組むはずがない」と言いました。確かに当初は、ゼレンスキー氏はウクライナに蔓延るネオナチ勢力の解体に着手しようとしていたはずです。しかし、ロシアとの戦いが現実化していくなかで、ナチ勢力にロシアと戦ってもらうために、逆にナチへ急接近したとも考えられます。実際、ゼレンスキーとウクライナ国内のナチのスポンサーは、共にウクライナ最大財閥、イゴール・コロモイスキーであると言われています。

第二次大戦当時、ウクライナ民族主義者組織（ＯＵＮ）のトップであり、ウクライナのナチから英雄視された人物ステパン・バンデラは、「ウクライナ人が世界で最も優れた民族である」と説いたといいます。そのＯＵＮを長年支援してきたのはアメリカでした。

２０１４年のマイダン革命により、親米政権が誕生。

これは市民革命ではなく、米国の介入によって起こされた武力クーデターによるものでした。

以後、ウクライナでは親米政権が続いています。そしてそのクーデターにより、ウクライナの政府、議会、軍、警察にナチ勢力が侵食していきました。

ウクライナのナチの思想は、ウクライナ人は世界一優秀であり、他の民族、特にロシア人は劣等民族であるため排除してもよい、とする危険な思想です。そのナチが警察内にいるとすると、どうでしょうか。街でロシア語訛りのウクライナ人を見つけると、その場で何をするか分からない。それが日常となる可能性があるのです。

ウクライナで最もロシア系の多いクリミアでは、住民投票の結果、ウクライナからの独立を宣言し、ロシアへの編入をプーチンに要請。プーチンはそれを承認します。そのクリミアの動きに合わせ、同じようにロシア系住民の多いウクライナ東部のドンバス2州の、ドネツク州とルガンスク州も国民投票の結果、独立を宣言しました。

それに対しウクライナ政府軍が武力制圧。ウクライナ軍の中身は前述のナチです。そうして、ロシア系住民のジェノサイド（大量虐殺）が行われました。

ロシアは国連に訴えましたが、国際社会は事実上、それをほぼ無視しました。

プーチンは、外交交渉によってロシア、ウクライナ、ドンバス2州の4者による和平合意を提案します。しかしその後、2019年にゼレンスキーがウクライナ大統領に就任すると、ウクライナのナチは停戦合意である「ミンスク合意」の破棄を求め、ゼレンスキーを恫喝し始めます。同時に、ナチによる東部攻撃も激化、ミンスク合意違反が相次ぎ、ウクライナ側によってミンスク合意は破棄されてしまいます。そのためプーチンは、外交手段をあきらめ、軍事作戦の準備に入った。するとゼレンスキーは自身の立ち位置を変え、ナチにロシアと戦ってもらおうと考えたのかもしれません。(『いま世界を動かしている「黒いシナリオ」グローバリストたちとの最終戦争が始まる!』及川幸久　徳間書店)

アメリカの主要メディアは、このような事実をほとんど報道しませんでした。その欧米メディアに盲目的に追従している日本のメディアもです。

アメリカがナチの支援をしていたという事実は、都合の悪いことだと分かっているからでしょう。

クリミアやドンバス地方だけでなく、ロシア系住民はウクライナ全土に住んでいます。そのロシア系住民の安全を考えれば、プーチンにとってそれをただ黙って見過ごすということはできないでしょう。

メディアはどうしても、ポジション・トークになります。そこには必ず資本が絡んできます。お金が絡めば、政治や利権、組織や個々の思惑も絡んできます。

個人的な話になりますが、私の周りにはテレビや映像関係の知り合いの方が多数います。メディアには「印象操作」というものが、はっきりとあります。それにうんざりして業界を去る人もいます。

しかしほとんどの方は、報道する側もそれを見る側も、そもそもそういう視点をもって物事を見ていないため、自分が印象操作の片棒を担いでいることに気づくことはありません。なんとなく違和感を感じ、引っかかったとしても、そこから深く考えることはせず、忙しい日々に追われる中、次第に忘れてしまいます。

ほとんどの場合、良かれと思って、結果、自分の意図していることと反対の行動をしている、というケースが非常に多いのです。実際、かつての私がそうでしたし、知り合いにも同じような方が何人かいます。

令和4年（2022年）4月、ウクライナ政府がTwitter（現X）の公式アカウントに、ヒトラーやムッソリーニと並べる形で、昭和天皇の写真を掲載した動画を、「ファシスト」という文言を添えて投稿したことは、多くの日本人はご存知ないと思います。当時、ごく一部の言論人やジャーナリスト、政治家が問題提起しただけでした。あるいは、一部の報道でほんの少し触れられた程度でした。

つまり、日本の天皇陛下が、ファシストとして扱われたのです。

これに対しウクライナ政府は当該の投稿を削除し、「間違いであり謝罪する」という旨のコメントを発表していますが、我々日本人は、北朝鮮への核技術の供与等もしてきたウクライナ政府が、本質的に中国や韓国や北朝鮮の政権と同じ「反日政府」である、という事実を知らなければいけないと思います。

くどいようですが、その国の政権が「反日」であるからといって、国民までひとくくりに「反日」であると言い切ることはできません。

また、あとがきに詳述しますが、私がニューヨークにいた頃、最も親しくしていたのは韓国人留学生達でした。ロサンゼルスでは中国人との交流もありました。立派な韓国人も中国人もたくさんいます。当たり前ですが、基本的にはどの国の出身であっても個人レベルでは、優しくて明るい人がたくさんいることを、筆者は肌感覚で知っているとだけ、念のために書いておきます。

しかし同時に、その様な政府によって国民に「反日教育」が施されているということは、日本人は知っておくべきですし、また、日本国内においてさえも、「反日」と呼べる様な教育が戦後から今日まで続いているということは、留意しておくべきことです。

ですから、その「ウクライナの反日政府」と「ウクライナの一般の国民」は、別に捉える必要があります。

ウクライナの『一般国民への人道支援』と、ウクライナの『反日政府に対する軍事支援』を、混同してはいけないのです。

なお、ウクライナのロシア系住民も含め、すべての民間人が戦争の被害者であることは確かであり、その様な状況が１日も早く収拾することを心から願うのは、言うまでもありません。

先般（２０２３年５月）日本で開催されたＧ７に急遽ゼレンスキー氏が乱入してきたのは、要するに営業のためでした。ウクライナのためではなく、グローバリズムのためです。

それに対し、岸田首相は多額の資金援助と、物資や自衛隊車両の提供及び自衛隊病院でのウクライナ兵の受け入れなど、多面的な支援を伝えたと報じられました。（ロイター、２０２３年５月）

しかし日本の取るべき立場として、ウクライナ戦争に関しては、様子見をしているインドを見習うべきではなかったでしょうか。しっかりと情報を集めれば集めるほど、この度の戦争の当事者の中で唯一、グローバリストではなく自国のために戦っている様に見えるのはロシアであるということを、日本はよくよく考えなければなりません。

日本がウクライナに軍事支援をしたということは、ロシアに対し敵対したということであり、日本の隣国であるロシア、中国、北朝鮮は核を持っているのです。そして今や中国とロシアは手を組み始めています。もちろん部分的にではありますが。

国際情勢を冷静に見ている国々は、日本をどう評価するでしょうか。

今後さらに重要になるインドとの関係はどうなるのでしょう。

奇しくも昨年（2022年）は、インドと日本の国交樹立70周年でした。そして今年（2023年）半ばには、インドの人口が中国を抜いて世界最多になるとの予想を、国連の人口基金（UNFPA）が発表しました。（BBC、2023年4月）

なお、ここで『グローバリズム』、『グローバリスト』という言葉が登場しましたが、それらについては次章で詳述します。

多様性という言葉＝近年発明された神経毒

このように、ＢＬＭ運動とウクライナ戦争という、たった二つの例を挙げるだけでも、日本の主流メディアでは報じられない情報が、たくさんあるということが分かると思います。

ＢＬＭ運動をはじめとしたウォーキズム、クリティカル・レース・セオリー（批判的人種理論）、ＬＧＢＴＱ＋推進運動、ＳＤＧｓ、ポリコレ（ポリティカル・コレクトネス）、キャンセル・カルチャーなどなど、、、これらはどれも「多様性（ダイバーシティ）」という言葉で、その実態をうやむやにされていますが、それぞれに利権やプロパガンダが絡んでおり、一種の浸透工作であり分断工作です。

「自国の神話や歴史を学ばなくなった民族は、１００年以内に必ず滅びる」とは、イギリスの歴史家アーノルド・Ｊ・トインビーによるものとされる有名な言葉（※その証拠はないとする説もある）ですが、日本の文化・歴史を世界の一大文明として高く評価していたトインビーは、国が滅びる要因として、次の三つを挙げたとされています。

「理想を失った民族は滅びる」

「歴史を失った民族は滅びる」

「物事を数量で見るようになった民族は滅びる」

（※これらの出典は定かではなく典拠不明である、とする意見もあります）


これらは、言い換えれば『文化をなくした民族は滅びる』ということです。

「理想」も「歴史」も、『文化』を通して後世へと受け継がれていくものだからです。そして「数量で物事を見る」ということは、ものごとの「質＝本質」に目を向けなくなるということです。


現代の日本は「文化」ではなく「文明」を発展させてきました。それはご存知の通り、特に戦後から続くアメリカ主導によるものの影響が強いと言えます。

大東亜戦争（太平洋戦争）終戦後、長きに渡る『戦後レジーム』が今尚続く中、日本はいまだに主権国家として独立できていないということが、２０２３年、ラーム・エマニュエル駐日米国大使によるあからさまな内政干渉と岸田政権による、ＬＧＢＴ利権法案の強行な推進劇によって、明らかになりました。
２０２３年5月19日のＧ７広島サミットに先だって、「Ｇ７の中で日本だけがＬＧＢＴＱに関する保護法を制定しておらず、世界標準に遅れている」といった論調が目立ちましたが、現実には、国家としてその様な法制化をしている国は存在せず、地方自治体や州レベルで散見されるに留まるものです。

さて、トインビーが実際には社会主義者あるいは共産主義者であったとする説もあり、私はそのことについて、明確な答えを提示できませんが、今年（２０２３年）は戦後78年目です。トインビーの言う１００年まで、あと22年しかありません。

「多様性」という言葉ほど、自由に解釈できる都合の良い言葉はありません。「陰謀論」という言葉と同様に、政治利用（プロパガンダ）するために作られた言葉であり、近年発案された新種の「神経毒」です。

語弊を恐れずに言えば、「自分のことを良い人間だと感じられるような行動」は、人を良い気分にさせます。それらは、正義感と結びついた怒りや悲しみと相互に絡み合っていることもあり、そのような怒りや悲しみには、一種の快感が伴います。

いずれにせよ、自ら作り上げたナラティブ（物語）に酔っている状態です。

これは、私自身に向けても戒めとして言っていますが、本質的に、正義感は時に暴力や害悪となり得ます。

にも関わらず、特に日本人は、自分の正義感に対して不用心です。その様な、冷静な分析の伴わない正義感は一種の麻薬であり、自己陶酔の典型です。

「自分は良いことをしているのだから」と盲信して、事実確認もせずに何かのデモに加わったり、ある種の活動に没頭したりします。

その「行動力」や「ボランティアの精神」は、素晴らしいものに違いないと言いたいですが、冷静に自分を見つめたり、情報の真偽を確かめるといった慎重さと、反省や誠実さが欠けている点において、それらはことごとくナルシシズム、単なる自己愛であり、自己顕示欲の表れであると言わざるを得ません。

手厳しい言い方かもしれませんが、それは、自分の言動に責任を持っていないからこそ成せることです。

責任の伴わない正義感は恐ろしいものだということを、過去に何度も、歴史が証明しています。そのひとつひとつを、ここで例にあげていくことはしませんが、読者の方々にはお分かりのことだと思うからです。

さて、世論を動かそうと（形成しようと）する時、エスタブリッシュメント（権力者）達がすることは、まず「みんなにとっての共通の問題」を作ることとです。

先に述べた様に、人は誰でも、世のため人のためになっているんだと思えば、行動に移します。自分がやっていることは、良いことなんだと思えれば気分がいいし、基本的に誰にだって良心が備わっているからです。

彼らは、その良心を利用します。

その善意や正義感が、どれほど真っ直ぐであっても、「冷静な分析」と「自制心」がなければ、盲目的になる傾向があります。

そして往往にして、「自分は正義のために立ち上がっているのだ」という自覚は、人を感情的にさせます。そうなるといよいよ、扇動者たちの思う壺です。

「みんなに共通の問題」は、実際に存在しなくても良いのです。

人々の心の中に「みんなが共通に取り組まなければならない問題」を創出し、そのイメージさえ刷り込むことができれば、あとは簡単に世論という空気が形成され、そうすれば、政府や企業をはじめとした大きな組織は、堂々と自分たちのシナリオ通りに、物事を進めることができる様になります。

ですから、人の正義感や倫理観、そして現実に対する認識というものは、ひとつ間違えれば非常に恐ろしいものになり得ます。

中世、地動説を唱えたガリレオは異端扱いされ、社会から冷遇されました。ジョルダーノにいたっては、宗教裁判にかけられ、ついには火あぶりの刑で殺されてしまいました。

当時彼らを非難した一般市民のほとんどは、善良な市民であったと思います。しかし、二人の正しさ、特に炎に包まれながらも最後まで真実を訴えることを貫いたジョルダーノの勇気と意志の強さ、それらを抹殺したのは、当時の人々の『自分にとっての正義』です。

ジョルダーノを生きたまま火あぶりにして殺したのは、自分たちの常識こそが正しいと、そして普通と違うことを言う人間は間違っているのだと、そう主張する、よく考えたらかなり乱暴で傲慢な人々の考えです。

こういう話をすると、大げさだ、とか現代の話ではない、と思われる方もいるかもしれません。

しかしこの話は、『例え話ではなく史実』なのです。

実際に『善良なはずの人々が同じく善良な市民を柱に縛り付け、そこに火を放ち、生きたまま大衆の面前で炙り殺した』という事実です。

善意、正義、常識、こういったものは非常に曖昧なものです。そのことを忘れた時、そこに暴力や差別が生まれるのではないでしょうか。

そしてそれが、古い格言として知られる『地獄への道は、善意でできている』という言葉の意味なのではないでしょうか。

先般の、日本のＬＧＢＴ理解増進法案（ＬＧＢＴ利権法案）の推進劇においても、声高にジェンダー（性）の多様性と法案の成立を訴えた人の多くは、『ＬＧＢＴ当事者』ではなく『ＬＧＢＴ活動家』でした。

多くのＬＧＢＴ当事者から発せられたのは、この法案の危険性や、今まで日本で生きてきて「いじめはあったが深刻な差別は経験したことがない」と訴える声でした。『ＬＧＢＴ活動家とＬＧＢＴ当事者は＝（イコール）ではない』のです。

しかし「マイノリティ（社会的少数者）が虐げられている」というイメージは非常に作りやすく、ＢＬＭ運動と同様に、「弱者の側に立っている」という錯覚した意識が、一部の人々を盲目的にしてしまいます。

それら「良いことをしている風」のキャンペーンに取り組むことで、安易に企業イメージを上げようとして大失敗した米国のバド・ライト（バドワイザー社の低カロリー・ビール）の様な、分かりやすい例が出てきても、それらをまともに報じない日本のマスコミの、いわゆる「報道しない自由」によって、情報収拾弱者（情報弱者・情弱）である日本人は、ほとんどそのことを知りませんでした。

しかし幸い、このＬＧＢＴ運動に関しては、さすがにおかしいと感じる日本人が多く、疑問の声があらゆるところからあがっています。

この運動を推進している人々が意図しているのは、「文化の破壊」です。

そして支配法則の基本は、『分断して統治せよ』であり、それを後押しするのがメディアです。

このような「分断工作」、「プロパガンダ」は、ＢＬＭ運動、環境問題や気候変動問題、世界的な農業や畜産業の破壊、ＳＤＧｓなど、あらゆる形で行われており、日本におけるＬＧＢＴ法案の強行採決や運動にも、同じ手法が使われています。

ＢＬＭ運動によってアメリカの社会は、再び大きく分断されました。

ＬＧＢＴ運動によっても、各種犯罪や社会秩序の急速な崩壊が、アメリカ社会に未曾有の混沌を生んでいます。

ＬＧＢＴ運動では、「性自認」や「性同一性」といった言葉が使われます。

自己申告により性を決める「性自認」や「性同一性」は、多くの危険を孕んでいます。

先般のＬＧＢＴ法によれば、男性が「女性のふり」をする必要もなく、ただ単に「トランスジェンダー（出生時の性と自身で認識する性が一致していない人）のふり」をすれば、変装も何もすることなく、簡単に女性専用のスペースに入ることが可能になってしまいます。これでは、女性の権利の破壊と同じであり、子供への犯罪の心配もあります。

また、それらの様な犯罪行為に対し、訴えの声を上げた人間が、逆に差別で訴えられるという事案も欧米で多発しており、裁判官や警察に至るまで、社会的に抹殺されるのを恐れ、犯罪を野放しにしているケースも増えています。差別主義者のレッテルを貼られ、実際に職を奪われた人や、投獄されたり損害賠償を請求されたり、といった理不尽な話が後を絶ちません。

男性が自身は女性であるとして、女子トイレや女湯に入るといったケースは日本でもすでに起きており、それによる性犯罪や暴力事件などが、欧米では年々増加しています。

アメリカを例にとると、日本で法案が通される前の２０２３年5月頃時点で、全米50州のうち49州において、ＬＧＢＴ法を禁止する法案を整備しているところでした。ちなみに、残りの１州はバイデン氏の地元であるデラウエア州です。

さらに欧米では、若くして性別移行ホルモン注射や手術をしてしまい、のちに後悔して自殺してしまうといったケースも非常に多くあります。また、ホルモン注射によりホルモン・バランスが変化し、そのことが精神に及ぼす影響も懸念されています。生物学的男性の女性競技への進出による、女子スポーツ界の崩壊などの問題も非常に深刻であり、LGBT運動にはそうした恐れもあるということは、日本ではまだあまり知られていないことです。以下に、実際に報じられた海外のニュースをいくつか紹介します。

イギリスのデイリーメールによると、2023年4月、バーモント州のある学校では、5年生の理科の授業から「男性」と「女性」という言葉を排除し、「精子を生産する人」と「卵子を生産する人」という表現に置き換えた、と報じています。

女性や子供の安全を守るために作られた独立系メディアReduxx（リーダクス）によると、イギリスで15歳の少女をレイプした男が、出所後わずか数週間で、別の少女をレイプするが、トランス女性であると自認し、それを受けた裁判記録では「彼女の男性器が、、」という表記が採用され、市民が憤っているというニュースが伝えられました。

2018年3月4日スコットランドで、元男性のトランスジェンダーが、スーパーのトイレで10歳の少女をレイプ。その後、裁判所は精神的な問題に苦しんでいたとし、情状酌量で実刑判決を下しませんでした。また、別のイギリスの事件では、事件後、トランスジェンダーであると主張し、女性刑務所に収監されていた容疑者が、他の女性受刑者2人に性的暴行を働いたケースもあります。(リアルライブ)

また、ザ・ポスト・ミレニアルによると、2023年5月初旬、米国ペンシルベニア州で開催された、女性の自転車競技大会において、48歳のトランスジェンダー選手が、15歳の少女を破って優勝。このトランスジェンダーの選手は、過去に女性オリンピック選手にセクハラを繰り返していたことが判明しています。(2023年5月13日付の記事)

その他にも、女子ボクシングの試合で、トランスジェンダーの生物学的男性が、女性選手を血まみれにした上、病院送りにし、試合に勝利するという事態が発生、ボクシング以外の格闘技の試合においても、同じように不条理な事例が多々起きており、水泳や陸上などスポーツ界全体で、枚挙にいとまがありません。

この様に例をあげていけばきりがなく、日々新しい犯罪や不条理なできごとが、世界中で報告されています。

ジェンダー（性）の問題を政治利用した社会は、性犯罪者を通報したりした人が、逆に差別だとして告発されかねない社会となっています。

実際にアメリカは、既にそういう社会になっており、訴えた被害者側が、差別だとして逆に損害賠償を請求されるといった、信じられない様な事案がたくさん起きています。

女子刑務所でのトランスジェンダー受刑者によるレイプが多発しているのにも、理由があります。自分の働く女子刑務所が、社会的に差別的であるとして、自身の職が奪われるのを恐れた看守が、被害者である女性囚人に対し口止めするのです。

また、犯罪を目撃した警察官が見て見ぬ振りをしたり、差別主義者のレッテルを貼られるのを恐れ、権利団体の顔色を窺った判決を下す裁判官が増えたり、人種差別主義者だとされるのを恐れ、目の前で堂々と万引きをする黒人をただ呆然と眺めているだけの警備員など、社会の機能が完全に狂いはじめています。人々は、自分の職務を全うすることよりも、社会的に抹殺されない様に必死です。

これらの光景は、日本の未来の姿かもしれないのです。

日本人はこの様な現実を知り、情報弱者であることから脱却しなければなりません。

このＬＧＢＴ法案はＬＧＢＴ活動家の声であって、ＬＧＢＴ当事者の声ではない、と多くのＬＧＢＴ当事者らが訴えています。コミュニティの意見を反映しているものではないのです。

ゲイやレズビアンの存在と、政治的な主張とは分けて考えなければなりません。言うまでもなく、ゲイやレズビアンやバイセクシャルの存在が問題なのではありません。ジェンダーや人種や宗教や思想など、そこに対立を生み出しやすい話題を利用して、人々を分断し弱体化させるよう仕向けている人々や勢力が問題なのであり、そのことを国民が知らないという状態が最も危険なのです。

このＬＧＢＴ法案を強制し、あからさまな内政干渉をしているラーム・エマニュエル駐日米国大使についても、少しだけ触れて起きましょう。

非常に有名な話として、氏がイリノイ州のシカゴ市議員時代、同じ民主党内で対立していた議員に「死んだ魚」を送りつけたというエピソードがあります。

これは、映画『ゴッドファーザー』に出てくる描写で、「おまえのファミリーの人間は、今頃海の底に沈んでいるぞ」という意味です。このエピソードは米国では一般的にも有名な話です。そういう人物が２０２３年現在、駐日米国大使を務めているのです。

また、シカゴ市長時代、何度となく中国を訪問しており、中国との関係はかなり深く、当初は中国大使の地位を望んでいました。中国最大手の鉄道車両製造会社である「中国中車」は、シカゴを中心とする中西部に1億ドル（約１１０億円）の投資をしてきました。氏は、この中国による巨額投資プロジェクトを、先代のデイリー市長から受け継ぎ、シカゴ郊外での中国工場建設を実現させました。（『アメリカの崩壊』山中泉　方丈社）

さらに、エマニュエル大使は「日本は進化の過程にある」と言いましたが、その文脈は、マッカーサーの「日本人はまだ12歳の少年である」という発言と同じでした。

なお、ＬＧＢＴ運動は現代版「ワイマール憲法」ともいえる「緊急事態条項」の問題とセットで注視して行く必要がある、と危惧する声もあります。

そして繰り返しになりますが、支配法則の基本は『分断して統治せよ』であり、それを後押しするのがメディアなのです。

『問題を創出し、分断を生み出し、そこへ解決策を提示する』

これらは常にセットで、あらかじめシナリオが書かれています。そしてもちろん、その先にある最終目的は、民衆の奴隷化です。

フランクフルト学派

世界で最も言論統制が進んだ国と聞いて、まず思い浮かぶ国はどこでしょうか。

こう聞くと、大抵の方は中国や北朝鮮と答えます。

しかし残念ながら、実際にはそこに日本も付け加えなければいけないかもしれません。

それほどまでに現在の日本は、本当の情報がメディアに流れていないのです。そしてそれを疑わない国民に、仕立て上げられたのです。

信じられないかもしれませんが、日本人が洗脳状態にあるというのは、陰謀論でも都市伝説でもありません。それどころか、悔しいですが例え話ですらないのです。

もちろん国によって、その言論統制や言論封殺の方法や度合いは違うかもしれません。

日本において言えば、テレビや新聞や主流メディアのネット記事などで、国際情勢をはじめとした様々な分野にまたがって、多くが間違っているか、意図的に改ざんされていたり、すでに欧米ではフェイク・ニュースと判明しているものが堂々と報道されているケースまであるというのが、個人的な感想です。

そして恐ろしいのは、学校で教える教科書に、重要な史実についての記述が意図的に省かれていたり、事実とは違った印象操作などがされていることです。

ではいつから、どのようにしてそうなったのか。

その問題に触れるには、まず知っておかなければならないのが『フランクフルト学派』の存在です。

20世紀の人類史における一大惨劇として、ヒトラーや、レーニン、スターリン、毛沢東という「共産主義者・社会主義者」による独裁政治を挙げる人は多いでしょう。私はそこに、アメリカのフランクリン・デラノ・ルーズベルトも加えるべきではないかと思います。

現代史は、まだ歴史としては隠された資料が多く、常に書き換えを余儀なくされることもあり、表面的になりやすいと言われます。

第二次世界大戦についても同じで、近年、米国公文書館が公表した「ＯＳＳ（戦時諜報局もしくは戦略情報局などと訳される。CIAの前身)」の文書によっても、日本の戦後史が大きく変わりました。

　私自身がワシントンでOSSの原資料に触れられれば一番良いのですが、英語に堪能で、アメリカやドイツを調査や学会で何度も渡り歩いて来られ、ワシントンで実際に原資料を見たこともある、東北大学名誉教授・田中英道先生のご著書やルネサンス誌(vol.12 ダイレクト出版刊)に寄稿された文章、及び各国で数十年間にわたり大使を務められてきた馬渕睦夫大使のご著書群等を参考とさせていただきながら、以下、話を進めていきたいと思います。


　フランクフルト学派は、隠れ「マルクス主義(共産主義、社会主義にほぼ同義)」とも呼ばれ、戦後日本で左翼思想を広めた人々であり、1923年、マルクス主義者の哲学者ルカーチ・ジェルジが、ドイツのフランクフルト大学に設立した「マルクス研究所」に始まる、ユダヤ系学者グループです。

　ソ連の「マルクス・エンゲルス研究所」にならってつくられましたが、その後マルクスの名前を隠し、「ドイツ社会学研究所」と改名されます。

アメリカの政治コメンテイターであり作家のパトリック・ブキャナン氏によると、現代のマルクス主義者に大きな影響を与えているのが、１９３０年にフランクフルト学派の中心的存在となったマックス・ホルクハイマーであるといいます。

マルクス主義にとっての敵としていた「資本主義」を、「西洋文明」に書き換え、文化教育制度を支配し、国家を崩壊させるという論理です。

ユダヤ系学者グループであったフランクフルト学派は、ナチスの台頭を受け、アメリカに亡命します。そしてコロンビア大学の助けを借りて、ニューヨークに新たな研究所を設立しました。

彼らの文化破壊の方法で、特に強力なもののひとつが「批判理論」でした。

「現代人はすべて、自然からも社会からも疎外されており、それを正すためには、その様な社会をつくりあげてきた伝統や文化を否定し破壊する」という考えです。

この「批判理論」の強力な影響下にあるのが、戦後のアメリカと日本であり、今なおその影響が続いているのです。

ブキャナンがもう一人、現代のマルクス主義に与えた思想的役割の大きさとして重視している人物が、アントニオ・グラムシです。

グラムシは、フランクフルト学派とは直接の交流はなかったようですが、第二次世界大戦前にイタリア共産党書記長を務めており、イタリア共産党の創設者の一人と言われている人物です。

グラムシは、亡命先のロシアで「ロシア革命」を目撃します。そこで彼は「恐怖政治でしか体制を維持できないレーニン主義は失敗に終わる」と判断し、帰国します。

その後、ムッソリーニによって投獄され、肺結核を患い釈放された直後、46歳で他界します。その獄中で書いた『獄中ノート』は、フランクフルト学派が盛んに引用する、20世紀におけるマルクス主義の経典のひとつと呼ばれています。

ブキャナンの分析によると、グラムシの思想は「社会で犯罪が起こるのは、犯罪者が悪いのではなく、それを起こさせた社会が悪いのだ」とし、まるで加害者は逆に保護されるべきで、悪いのは安穏と暮らしてきた保守的な人々なのだ、と言わんばかりの思想であるということです。

グラムシは「文化を下から変える必要がある」とし、下方を崩せば上方の権力は手元へと落ちてくる、と考えたのです。そのためには、芸術、映画、演劇、教育、新聞、雑誌、ラジオなど、一つひとつ革命に組み込んでいくことを主張しました。

これが現代にも続く、「伝統と文化の破壊」というリベラル（左翼）思想の核となる部分です。

それを人種の問題に組み込めばＢＬＭ運動になり、ジェンダー（性）問題に組み込めばＬＧＢＴ運動になり、宗教という枠にはめれば、『クリスマスの挨拶は、みんながみんなキリスト教徒なわけではないから、他の宗教に配慮して「メリー・クリスマス」ではなく「ハッピー・ホリデイズ（よい休暇を）」とするべき』、といった形に応用されていくのです。

クリスマスの挨拶を例にあげると、宗教の違いを生じさせないことで、結果「あらゆる文化に根ざした宗教がある」という、多様性そのものを否定していることにならないでしょうか。

この様なことからも、リベラル（左翼）が主張する『多様性』という言葉を使った「多文化主義」は、それぞれの文化を尊重するものではない、ということは明らかです。むしろ、それぞれの文化の持つ個性を無視することによって、すべての文化を均一化しようとする考えではないでしょうか。

革命を起こすには人々をコントロールする必要があります。

そして、人々を管理しコントロールするには、様々な考えを持った人々がいたのでは管理しにくいため、均一化して同じ様な思考で人々を統一した方が都合が良いからです。

フランクフルト学派は、全米各地の大学に散らばっていき、次第に重要なポジションを占めていきます。そうして頭角を表していった多くが、アメリカの政治や教育、経済の中枢を担う人々となっていったのでした。それは日本においても同じであり、特に大学をはじめとした教育界は顕著で、その影響下に現在の日本の教育界があるのです。

アメリカに渡ったフランクフルト学派の中心人物の一人ヘルベルト・マルクーゼは、批判理論を用いて、アメリカの社会秩序を「資本主義者が作り上げた構造的差別に基づいている」とし、伝統的な秩序を破壊しようとしました。

若者に国家への不信感を植え付け、フェミニズムにより男女間の対立を煽り、近年では、その手法はジェンダー（性）秩序の破壊にも用いられ、現在でもその流れを汲んでいることは、ＬＧＢＴ運動に明らかです。

近年、特にその傾向を加速させたのが、オバマ政権時代です。

現在、日本でも問題になっている「性自認」という用語を利用したＬＧＢＴ運動関連の政策を、強烈に推し進めたのがオバマ氏でした。

任期中、「自身が自認する性のトイレ使用を許可する指針」を全米の学校に通達するほか、トランスジェンダーを公にして軍へ入隊したり、性転換に伴う医療費に米軍の保険が使えたりするよう、米軍入隊規制の撤廃方針などを推進しました。

当事者達を置き去りにした行き過ぎたジェンダー擁護や、分断と混乱を深める社会を軌道修正したのが、２０１７年、大統領になったドナルド・トランプ氏でした。しかしご存知の通り、トランプが軌道修正のために行ったあらゆる政策を、後にバイデン大統領が覆してしまいました。

ＯＳＳの暗躍

第二次世界大戦直前の１９４１年のＣＯＩ（中央情報機構）案をさらに発展させる形で、翌１９４２年に設立されたのが、アメリカ初の情報機関と言われている『ＯＳＳ（Office of Strategic Service。戦時諜報局もしくは戦略情報局と訳される。ＣＩＡの前身）』です。

ＯＳＳの工作員の中には、諜報、心理学、医学、地理、語学、科学などあらゆる分野の学者が集められ、その数は終戦時には3万人にのぼるともいわれています。

その中に、多数のユダヤ人社会学者たち「フランクフルト学派」がいたのでした。

ＯＳＳはほかの軍事情報機関とは異なり、左翼知識人や亡命外国人を積極採用する方針でした。その中で、敵国であるドイツの情報を担当する人材源として、一流のドイツ人学者が集まるフランクフルト学派に目をつけたのでした。

さらに、当時のフランクリン・デラノ・ルーズベルト大統領も、ユダヤ系でした。念のため断っておきますが、ユダヤ人ではなく、かつてスペインからオランダに亡命した祖先（のちにユダヤ教から改宗し渡米）を持つ、ユダヤ系です。そしてルーズベルトの周りにいた人物には、ユダヤ人が多かったと言われています。

故に、ホロコーストを行なったナチスは敵であり、ドイツの同盟国である日本も敵であったのです。

人種差別主義者であったルーズベルトは「日本人の様な野蛮な人種は、白人に比べて頭蓋骨が未発達である」と公言し、開戦後すぐに、日系人を砂漠の強制収容所へ送りました。

しかし複雑なのは、ユダヤとしてナチスを憎んでいたものの、ドイツを憎んでいたわけではなく、その憎悪はあくまでも「ナチス」と「日本人」に向けられていたことでした。

それが、ドイツに落とすはずだった原爆を日本人（※「日本」ではなく「日本人」）に使用し、ドイツでは工業施設に限定して空爆したのに対し、日本では多くの民間施設を空爆した理由のひとつかもしれません。

そして重要なのは、「なぜ1度でなく2度も原爆を落としたのか」ではなく、「なぜ2発で止められたのか」であると、近現代史研究家の林千勝氏は述べています。その理由は一説によると、3回目、4回目と、計画があったということが分かっているからであり、その典拠でもある、1944年9月にルーズベルトとチャーチルの間で行われた秘密協定の『ハイドパーク覚書』については本書では詳述いたしませんが、今日では様々な歴史家によって研究されています。

ＯＳＳの戦術の基本は、フランクフルト学派の「二段階革命理論」でした。まず、日本国民をかく乱することで、戦争を指導する日本軍を孤立させ、その後の革命が内側から起こることを企図するものでした。

ＯＳＳの日本占領政策である「日本計画」には、政策目標達成のための「8つの宣伝目標」が設定されていました。

そのうちの5つ目には「階級闘争及び、差別問題や団体間の対立を煽り、社会に亀裂を生むこと」という旨の内容が、6つ目には「内部からの反逆、破壊活動、日本国内のマイノリティ集団による暴力事件や隠密事件への不安をかきたてること」という旨の内容が、目標として掲げられていました。

今日では、ルーズベルトは真珠湾攻撃があることを前もって知っており、戦争を始める口実を作るために一芝居打ったということは、かなり多くの方が指摘する周知のこととなっています。

故に本書では、そのことについて詳述いたしませんが、ルーズベルトが異質であったのは、政権にソ連（コミンテルン）の工作員を含む共産主義者が多数入り込んでいることに気づいていながら、それを放任し、それどころか彼らを積極的に利用したことです。もちろん彼らもルーズベルトを利用していました。

ルーズベルトがスターリンに傾倒していたことは、フーバー前大統領の回顧録「FREEDOM BETRAYED（裏切られた自由）」などでも明らかですが、回顧録の研究などによると「少なくともソビエトの国家承認前の十五年間のアメリカは、民主党であれ共和党であれ、国民を奴隷にし他国へ平気で干渉するような政府を許さなかった」と、フーバー前大統領は書いています。

「戦争屋」「狂人」とも呼ばれていたルーズベルトが、共産主義者らの人脈や情報網などを、意図的に利用したとしても不思議はありません。

いずれにせよ、フランクリン・デラノ・ルーズベルトが日本を戦争に引きずり込み、「リメンバー・パール・ハーバー」という号令の下に、日本を「社会主義化」しようとしたことは明白であり、ＧＨＱに指針を与えたＯＳＳを作り、日本人に原爆を使用し（何度でも繰り返し使用する計画であった）、財閥解体、重要図書の焚書、農地解放、公職追放などの伝統と文化の破壊は、「民主化」などではなく、フランクフルト学派の掲げる「二段階革命理論」の第一段階である「革命」が行われていたということは、明らかではないでしょうか。

また、戦時下においてフランクフルト学派が活動していた重要な組織のひとつとして、IPR（太平洋問題調査会）という存在も非常に大きなものでした。こちらについても、今日たくさんの歴史家による研究が進んでいるため、多くの資料を見つけることができます。IPRについては、本書でも第4章で少しだけ取り上げます。

国連＝国際連合ではない／敵国条項という暗器

国際連合は第二次世界大戦が終わった1945年10月24日に発足しました。

日本では略して「国連」と呼んでいますが、英語での正式名称は「United Nations」（ユナイテッド・ネイションズ）です。これは「連合国」という意味です。「国際」などという意味の言葉は入っていません。そしてその役割は、戦後の「利害調整管理団体」と言ってもいいかもしれません。

「国際連合」という名称と「連合国」という名称では、ずいぶん印象が違います。

さらに「United Nations」のことを、国際連合などと訳しているのは、おそらく世界でも日本だけです。

日本人にはあまり知られていませんが、国連憲章上、日本は依然として連合国側にとっての「敵国」と見なされています。これを書いている2023年現在の話です。

国連憲章には「敵国条項（または旧敵国条項）」というものが存在します。これは例えば、中国などの連合国側の国が、日本に対して軍事行動を起こしても、理論的には正当であり問題ない、とされるものです。

1995年、さすがに戦後50年もたち、この条項を消してくれ、との日本側からの訴えに対し、国連総会で無効が決議されたにも関わらず、放置されたままでした。その後、2005年における国連首脳会合の成果文書において、再度削除することが表明されたはずでしたが、現在も変わらず残ったままであり、文書として「憲章」に表記されている以上は、この条項を第三国が利用する可能性が常にあるということです。

日本側からの問いかけに対し、「United Nations（ユナイテッド・ネイションズ）」は、

「手続きに時間がかかるため」と答えたそうです。

国連を作った中心的な国は、かつての連合軍です。具体的には、アメリカ、イギリス、中国、ロシア、フランスの5カ国です。戦中、その同盟関係のことを、「United Nations（ユナイテッド・ネイションズ）」と呼んでいました。国連のホームページを見ればそこに、同じ名前が表示されているのを確認できるでしょう。

日本人の多くは国連のことをなんとなく、平和のために世界全体を見守っている組織のような漠然とした良いイメージ、として捉えているのではないでしょうか。

しかし「国際連合」という一見良いイメージを連想させる名前に訳したのは、当時のGHQや、外務省による意図的なものであるといわれています。また、その国連の傘下にあるWHO（世界保健機関）やIMF（国際通貨基金）、UNESCO（ユネスコ。国際連合教育科学文化機関）やUNICEF（ユニセフ。国連児童基金）など、一部人道的な活動をしてはいるものの、その実態は「国際連合」という名前の平和なイメージとはかけ離れたものかもしれません。

この章の前半で、現代の日本は最も言論統制の進んだ国の一つであると書きました。テレビや新聞などの大手メディアをはじめ、教科書さえも、堂々と事実とは違うことを吹聴していたり、そのことに国民が違和感を感じることもなく、ただただ鵜呑みにしている現状を指摘しました。

ここまで、「フランクフルト学派」や「ＯＳＳ」、「戦後レジーム」や「ＷＧＩＰ（ウォー・ギルト・インフォメーション・プログラム）」など、聞き慣れない名称がたくさん出てきたと思いますが、これらの情報はすべて、私や一部の人間が妄想で作り上げた話ではなく、誰でも調べれば見つけられる『公開情報』です。どこか特別なルートからの裏の情報などではなく、誰でも得ることのできる情報です。

ＢＬＭ運動について、ウクライナ戦争について、ＬＧＢＴ運動について、これまで持っていたイメージ通りでしたでしょうか。国連や「敵国条項」についてはどうでしょうか。

こういったものに国民一人一人が目を向け、政治に興味を持ち、日本の政府はもちろん、見えないところで日本に圧力をかけている国際勢力や諸外国に対し、声をあげ始めたら、私たちの生活はどう変わっていくでしょうか。

日本人の２人に１人は「がん」になる時代だと言われて、そういうものなのか、と諦めていませんか。

日本人ばかりが「うつ」になり、自殺が減らないのはどうしてなんでしょうか。

なぜ日本人の給料は30年間も上がっていないのですか。その一方で、あらゆる名目で税金の種類は増え続け、国民の負担は増え続けています。

2023年現在、岸田首相は外国への支援といって、数十兆円規模のお金を他国へばら撒いています。その前に日本国民がどんどん困窮しているのに、です。経済的に余裕のない国民は結婚も出産もためらい、出生率はどんどん低下しています。

そしてなぜか、外国人が日本で保険を受けられる、というとんでもない現行の法律まであり、中国などは「中国国内では高額な治療を、日本の保険を利用して日本で受けにいくツアー」などといって国を挙げて企画などを組んでいます。さらに、スパイ防止法がなぜか制定されないことや、外国人による土地買収などに対しても放置している今の日本は、いったいどういう状態なのでしょうか。

ここまでお読みになった方は、このいくつかの問いには、もう答えられるのではないでしょうか。

そして今は答えられない問いに対しても、なんとなくの想像がつくのではないでしょうか。

このままでは、5年後、10年後、子供たちや孫たちの時代には、今よりも平和で公平な社会になっているという可能性はまったくないでしょう。

テレビや新聞やネットニュースなど、日常で特に何もしなくとも自然と入ってくる情報に対し、少しでも疑問の目を向け、鵜呑みにせず、できるところから自分で確かめる様にしてみる。

たったそれだけで、未来が変わりはじめます。

たったそれだけで、相手（グローバリズム勢力）にとっては、確信部分を突かれているのと同じだからです。

相手が強大すぎると、自分には何もできないと思ってしまいがちですが、彼らグローバリズム勢力にとって一番厄介なのは、『情報に流されず、依存することも極力なく、ある程度自給自足できる人々』です。

それはつまり、「大手メディアなどの情報」を鵜呑みにせず、「日本人としての意識（責任感）」を持ち、「ある程度の食料を自給自足できるか、あるいは食の安全に関する知識と意識を持つ」ということです。

そして、そのはじめの一歩は、メディアを疑ってみる、ただそれだけでいいのです。

次章ではいよいよ、この章でも何度か登場した「グローバリズム勢力」について、詳述していきたいと思います。

第3章

Follow the Money
（お金の流れを追え）

グローバル企業とマネー主義

父の10周忌にYさんから託された貴重な資料群

父が亡くなってから10年目の祥月にあたる2023年1月、父の高校時代からの友人Yさんと、久々にお会いすることになりました。

生前の父とよく待ち合わせに使っていたという、神保町の喫茶店に連れていってくださり、父との思い出をたくさん聞かせていただき、近況報告等する中ではじめて、Yさんと私に共通のライフワークがあることが分かりました。

中国語の専門家であり、金融関係の仕事で数年間イギリスに赴任していたこともあるYさんは、その時、イタリアで長年空手の師範をされていた弟さんが急逝してしまった直後で、すぐに日本を発つとのことでした。ご自身も癌の手術を経験され、癌の再発により亡くなった私の父とご自身を、どこかで重ねておられる印象がありました。

Yさんの奥様は学生時代、国際問題の研究で知られる某先生の教え子でありましたが、Yさんご自身も長年ライフワークとして、国際情勢や歴史の研究をおよそ50年以上もされており、後日、今日では入手困難な書籍の数々や、Yさんご自身のまとめられた研究資料を、永久貸与という形で私に譲ってくださいました。

『「あげる」なんて言うとおこがましいから、永久貸与という名目にしておく』と言われたＹさんの謙虚さとやさしさには、痛み入ると同時に心が温かくなりました。

その全てにはまだ目を通せてはいませんが、これからの自身のライフワークにおける、貴重な資料として大切に読み込んでいこうと思います。

多くの方がそうである様に、世の中の欺瞞に気がつき、その仕組みが少し見えてくると、私も自分にできることはないかと考え始めました。まずは無農薬の野菜を作ることから始め、そのおよそ半年後にＹさんと再会したのでした。そのような不思議なご縁もあり、本書の執筆が勢いづいたことは、大変ありがたいことでした。

グローバリズム（全体主義）というマネー（Money）主義

「Follow The Money（お金の流れを追え）」という言葉を最初に知ったのは、作家でもあるフーバー研究所の西鋭夫氏の著作や講演録、及び公開された動画でした。

幸運にも、私が色々と情報を収集し始めた頃に出会えた「金言」の一つです。

以後、この観点を常に忘れずに様々な情報を読み解いていきました。するとそれまでには見えなかった歴史の背景が、徐々に見えてくる様になったのです。

お金持ちや大富豪と聞いて、まず思い浮かぶのはどんな人々でしょうか。芸能人やミュージシャンなどの有名人、実業家、投資家、一部の政治家など様々でしょう。

誰の名前が思い浮かぶかは、そのままあなたの興味や一部性格も表しているでしょう。この単純な質問だけで、相手の素養もある程度分かってしまいますし、自分のこともある程度見抜かれてしまうかもしれません。

第二章で「グローバリスト、グローバリズムについては後で詳述します」と書きましたが、ここでそれに触れていこうと思います。

現在はグローバリズム全盛の時代です。これ以上の拡大は絶対に阻止しなければならない、という意味も込めて、現在を全盛とします。

グローバリズムは「全体主義」などと訳され、世界は一つであり、そのためには国境などは無くし、ひとつの政府で全世界を管理しようとするものです。

この国境をなくすという部分の具体的な形が、ヨーロッパの国々を一括りにしてしまう

ＥＵ（欧州連合）という共同体であり、それは人の流れだけでなく、物流や情報も含めた国境の廃止を目指すものです。それを可能にするために、共通の通貨として導入されたのがユーロ（€）です。

その様に、段階的に人々の意識を変えていくことで、各国の文化の独自性を排除していき、一部の人々によって、より「民衆を管理しやすい社会」に変えていこうとする動きでした。その結果、ＥＵ各国では現在、それぞれの国独自の文化が急速に衰退しているのです。その危険性にいち早く気付いたのが、イギリス国民でした。それが「ブレグジット」と呼ばれる、２０２０年のイギリスのＥＵ離脱であったのです。

グローバリズムの東側を中国の共産主義とすると、西側がアメリカを中心とした国際金融資本家たち及びそのグローバル企業です。

中国共産党（ＣＣＰ）による、全世界規模で進行中のサイレント・インベージョン（見えざる侵略）については第4章で詳述しますが、この章では主に、西側の国際金融資本勢力を中心に、話を展開して行こうと思います。

なお、厳密には共産主義勢力も国際金融資本勢力も、水面下では手を組んでいる部分があったり、ある目的のためにはいっとき共闘したり、あるいはどちらの側にも片足づつ突っ込んでいるような人物もいたり、と単純化して語ることのできないものです。

本書は、普段主に大手メディアを情報源としている方を読者として想定している部分もあり、内容をなるべく平易にまとめたいため、特に重要と思われる用語や人物、組織にフォーカスして書いていこうと思います。

そのため、僭越ながら、グローバリズムや国際金融資本の歴史など、さらに深く知りたい方は、巻末の参考図書一覧にも一部ありますが、林千勝氏、山中泉氏、藤井厳喜氏、馬渕睦夫氏、田中英道氏、ジェイソン・モーガン氏、我那覇真子氏、渡辺惣樹氏、茂木誠氏らの著作等、参考にされるとよいと思います。

さて、これまで本書においても、様々な人々に焦点を当ててきましたが、人類にとって大きな、特に負の影響を及ぼしたと思われる人々には共通のあり方、ある種のテンプレート（定型）とも呼べるものがありました。

それは、ムッソリーニもナチスドイツも、中国共産党も、日米戦争を引き起こした張本人の筆頭であるフランクリン・デラノ・ルーズベルトも、全てその体制のトップはグローバル企業であり、国際金融資本でありグローバリズム（全体主義）勢力であるということです。そういう社会を作っていく動きが『企業社会主義』と呼ばれるものであり、そういう国で世界をひとまとめにしてしまうことを、『ニューワールド・オーダー』と呼んでいます。そしてその企業社会主義の中でどうしてよいか分からずに、右往左往しているのが現在の日本です。（林千勝氏による解説を引用）

では、そのグローバリズム勢力とは具体的に『誰』のことなのか。

西のグローバリズム勢力に関して端的に言えば、大きなお金を動かしている人々のことであり、ロスチャイルド家をはじめとした、ウォーバーグ商会やそのマックス&ポール・ウォーバーグ兄弟、クーン・ローブ商会およびそのジェイコブ（ヤコブ）・シフや、バルーク家及びそのバーナード・バルークや、J．Pモルガンといったウォール街を代表するユダヤ系金融資本たち、さらにロックフェラー家（ロックフェラー財団）、サスーン家、ジャーディン・マセソン商会およびそのケズウィック家、ビル・ゲイツ（マイクロソフト創業者、ビル&メリンダ・ゲイツ財団 創立者）、ジョージ・ソロス（投資家、オープン・

ソサエティ財団創設者、※オープン・ソサエティ財団の現在は、その地位を息子のアレックス・ソロス氏が引き継いでいます〈2023年〉)、クラウス・シュワブ（世界経済フォーラム主宰)、バンガード・グループ（投資・資産運用会社)、ブラックロック（資産運用会社）などです。

ちなみに、現在は他社に吸収されその名を残していないクーン・ローブ商会や、ウォーバーグ兄弟やバルークなど、すでに亡くなっている人物もいますが、その様な勢力の中で大きな役割を演じたという意味でも名前を挙げました。また、インドを起源に、主にアジアやイギリスを拠点にロスチャイルド家と強力な同盟関係にあったサスーン家は、近代日本への関与及びその影響は非常に大きいという点でケズウィック家と並ぶ、ロスチャイルド家やロックフェラー家に次ぐ一族のひとつといえるかもしれません。そして、このグローバリズムの流れを汲んだ組織に、「国連」や「ＥＵ」があるのです。

政治や歴史の中に一連の流れを見出し、それを現在の国際情勢を分析するための手引きとするのは、日本の「現在地」を知る上で必須のことと思います。

しかしその知識ばかりが先行しすぎるのも、バランスが良いとは言えないでしょう。

必ず同時に、感性や知性を育むことが、個人としても国家としても大切です。その感性や知性を育んでくれるものが「文化」です。だからこそ、文化や歴史、伝統といったものを破壊するグローバリズム（全体主義）の進行は、人類全体にとっての破滅へのカウント・ダウンとなり得るのです。

ある意味では、グローバリズムは経済合理性で集まった勢力に過ぎない、とも言えます。そして、「過去から学び、文化や伝統を尊び、その延長線上に築いていく未来」はきっと明るいものでしょう。しかし、「過去を単純に否定し、文化や伝統を強引に捻じ曲げ、一部の人間にとってだけの理想の未来」を描くグローバリズム（全体主義）の様な考え方は、必ずどこかで破綻すると私は信じています。

そうでなければ、この様な本を書こうとは思わなかったでしょう。

赤い盾

では、現在のグローバリズム勢力の源流は、いったいどこにあるのでしょうか。

日々起こっているできごとを追うだけでは、その背景にあるコンテクスト（文脈）はなかなか見えてきません。文脈を捉えてはじめて行間が読めるのであり、そうしてやっと、ひとつながりの流れが見えてきます。

グローバリズムは全体主義などと訳されます。世界は一つであり、ひとつの政府で全世界を管理しようとするものです。

全体主義化するということは、言い換えれば社会主義（共産主義）化していくということでもあります。

先にも述べた通り、その点で、西のグローバリストをニューヨークのウォール街とロンドンのシティを中心とした国際金融資本家とするなら、東のグローバリストがソビエトのコミンテルン（共産主義インターナショナル）を起源に持つ中国共産党（ＣＣＰ：Chinese Communist Party）です。それはつまり、グローバリズム＝国際金融資本＝共産主義と言うこともできるでしょう。

グローバリズム・グローバリストの話題になると、必ずと言っていいほど話題に挙がるのが、ユダヤ人です。

ユダヤ人とは、ユダヤ教の信者またはユダヤ人を親に持つ者（血縁）、及びそれらの人々によって構成される宗教的民族集団のことを言います。しかし近代以降は、ユダヤ教の家系にありながら、キリスト教に改宗したり、無神論となった人も、ユダヤ人とみなされる場合もあり、その情報（呼称）の真意を汲み取る上では一定の注意が必要です。

さて、ユダヤ人は歴史的に、ヨーロッパで嘲られ、名字を持つことも許されず、ユダヤ人居留区のゲットーに住むことを強いられていました。さらには、職業はキリスト教徒が嫌った金貸しや質屋、古物商などに限定されるなど、社会的に多くの制約を受けてきました。この白人キリスト教徒によるユダヤ人種差別迫害の長い歴史に対する反作用として、現在のグローバリズム勢力・企業社会主義勢力の拡大があることは明らかです。

18世紀末、ユダヤ人ゲットーの中から、今日に至るグローバリズム勢力の源流ともいえる男が現れます。

彼はまず、ドイツ・フランクフルトのユダヤ人居留区ゲットーで、金融業者として成功し、王侯貴族との関係まで構築していきます。その後、５人の息子をそれぞれヨーロッパの主要都市5箇所に配置し、名門他家と婚姻を結ばせたり、金融の力を使ってドイツ、フランス、イギリス、ロシアなど、王政を支えながら同時に勢力を拡大させていきました。長男のアムシェルにはドイツのフランクフルトを継がせ、次男のサロモンにはオーストリアのウィーン、三男のネイサンにはイギリスのロンドン、四男のカールにはイタリアのナポリ、五男のジェームズにはフランスのパリを任せます。後にロンドン家とパリ家が、特に大きくなっていきます。

彼はまだほんの十代のはじめの頃、天然痘が猛威を振るっていた1755年頃に両親を亡くします。その後、中部ドイツ・ハノーバーの領主の宮廷ユダヤ人銀行家となっていたオッペンハイム家に奉公に出て、6年後、フランクフルト・ゲットーに戻り、古銭商を始めます。

その後1770年にユダヤ人のグーテレと結婚、授かった20人の子供のうち、ゲットーではよくあることでしたが、10人がすぐに亡くなってしまいます。残りの10人が育ち、5人が娘、5人が息子でした。

やがて、自分とほぼ同年齢のヘッセン領主ヴィルヘルム公(1743年~1821年)を上客とすることに成功します。ヴィルヘルム公は、イギリス国王ジョージ2世の孫にあたり、デンマーク王の甥であり、スウェーデン王とは義兄弟という関係で、いわゆるヨーロッパの名門貴族でした。

さて、彼の特筆すべき点は、「情報」をビジネスに結びつける仕組みを作り、それを支え維持し続けるためのシステム全体の基（もと）を作ったことでした。当時、ヨーロッパの郵便事業を独占していたテュルン・タキトゥス家と密接な関係を築き、同家は彼や彼の一族の内偵として活動するようになります。

時には、郵便に託された重要文書や、貴族や政財界の人物たちの個人的な手紙まで、不法に開封して情報を得たり、手紙や郵便物の配送を故意に遅らせたり早めたりしました。

この様にして、彼ら一族は、ヨーロッパ中の政財界や、個人的秘密などを含む様々な情報を掌握していき、またその情報を大いに活用（悪用）して、国際的に頭角を現していったのです。

この一族の代々住んでいた店舗兼住居には、「赤い盾（ドイツ語で「赤い＝ロート」「盾＝シルト」）」の表札がついていました。ユダヤ人は当時、名字を名乗ることが許されていなかったため、彼らは屋号としてこの「ロートシルト」を使うようになります。そうして、フランクフルト・ユダヤ人が法的に正式な名字を許されたのは、ナポレオン占領下の１８０７年と言われています。

大英帝国王室史上、最も富を有していたと思われるビクトリア女王の資産は、５００万ポンドと推定され、それに対し彼ら一族は、その80倍の４億ポンド（20世紀末の時価で２００兆円ほどと思われる）を超える資産を、19世紀の１００年間で得たとも言われています。

20世紀の初頭には、世界の富の半分を支配していたとも推定されるその一族「ロートシルト」、その英語読みが「ロスチャイルド」です。そしてその源流、始まりとなった「ユダヤ王の祖」とも呼ばれる人物で、５人の息子たちを矢の様にヨーロッパ中へと放ったのが、初代ロスチャイルド家当主、マイアー・アムシェル・ロスチャイルドその人でした。

（※５本の矢＝一族のシンボルマーク）

なお、始まりの地、フランクフルト・ゲットーには当時、後にロスチャイルド家とともにグローバリズム覇権を握ることとなる、シフ家、ウォーバーグ家、バルーク家なども住んでいました。

ロスチャイルド家や国際金融資本についてより深く知りたい方は、参考図書一覧にもあります「ザ・ロスチャイルド」（林千勝　経営科学出版）をお勧めいたします。

ディアスポラ

ユダヤ人にとっての根本聖典は、いわゆるキリスト教徒の言うところの旧約聖書です。ユダヤ人にとって重要なのは旧約聖書の中の、最初の五書であるといわれています。それを「モーセ五書」、あるいは「トーラー」と呼びます。

旧約聖書の一番初めは、アダムとイブにはじまる『創世記』です。ノアの洪水やバベルの塔。そして、アブラハム（エイブラハム、イブラヒム）やその息子イサク、さらにその息子のヤコブといった、テラ（アブラハムの父）の子孫たちの物語も『創世記』に登場します。そして最後に、ヨセフがエジプトに移住するところまでがこの『創世記』です。ちなみに、このヨセフはキリストの父ヨセフとは別人です。

次の書が『出エジプト記』です。

モーセ五書の中のクライマックスに当たり、主にモーセの話です。モーセはユダヤ教、キリスト教、イスラム教など多くの宗教において、最も重要な預言者の一人とされています。

エジプトから奴隷状態であった民（ヘブライ人＝イスラエル人＝ユダヤ人）を率いて脱出し、シナイ半島（現在のエジプト・アラブ共和国の北シナイ県と南シナイ県の辺り）で「十戒」を得るという話です。

次の書は『レビ記』という、モーセやその兄アロンに対して神が下した、律法に関する細かな規定や生活に関する掟、食べ物、着るもの、儀式に関する細かな規定などに関する書です。

レビというのは神官のことであり、その部族（レビ族）のことです。

その次の『民数記』では、民が約束の地にたどり着くまでの、荒れ野を彷徨い続けた40年間という苦しい時代の物語が描かれます。人口調査の話で始まるため、民を数える、ということで『民数記』といいます。

そして、モーセ五書の最後にあたる『申命記』は、モーセが最後亡くなる時の言葉を記したとされるものです。

これらモーセ五書は、教典として文字化され、大事にされてきました。

しかしこの他にも、文字化されていない律法や言い伝え（口伝）がたくさんありました。つまり、文字化された教典をどのように解釈するか、といった裏の教えの様なものは、先生から弟子へと口伝で伝えられてきました。いわば口伝の律法であり、仏教で言えば、顕教に対して密教のようなものです。

その後、ローマ時代の2度目のユダヤ戦争によって、ユダヤ民族はエルサレムを追われ、ディアスポラ（離散。離散者）となります。そこで彼らは考えます。

「民族がバラバラになってしまったら、言い伝えが途絶えてしまう。その前に、口伝で伝わってきたものを文字化しておこう」、となりました。

だいたい2世紀頃のことだと言われています。そして、この口伝が文字化されたモーセ五書（トーラー）の解釈書のようなものが、後に『タルムード（教訓）』と呼ばれるようになるものです。

現代では、当時手書きで世界中に広まっていったこの『タルムード』の研究が、シナゴーグ（ユダヤ教の教会）でラビ（教師）によって進められており、この『タルムード』がユダヤ教の教えの中心になっているといわれています。

さて、旧約聖書の中にはユダヤ人達が重視した、ある規定が書かれています。

それは、「同胞に金を貸して利子をとってはならぬ」というものです。

『外国人には利息を取って貸してもよいが、同胞からは利息を取ってはならない。』（申命記23章21節）

ですから、ユダヤ人はユダヤ人から利子をとってはいけないのです。ちなみに、ユダヤ教を受け継ぐイスラム教では、今日でも利息は違法（ハラーム＝禁忌）です。

ユダヤ人が離散し、ローマが崩壊したあと、北半分はキリスト教世界、南半分はイスラム世界になりました。彼らからすれば、異教徒であるキリスト教徒とイスラム教徒には、金を貸してそこから利子を取ることは問題ないので、そこから金融業というものがはじまった、といわれています。

ヨーロッパ世界においては、キリストを裏切って十字架にかけたのはユダヤ人である、という説が一般的であったため、何か問題が起こると、教会に煽られた民衆はことあるごとにユダヤ人のせいにして、ユダヤ人はその度に、襲われたり財産を没収されたりしていました。

そのため、ユダヤ人は暴動などがあるとすぐに持って逃げられるように、財産は貴金属で持っておくようにしていました。貴金属ならば、どこへいっても金貸しでやっていけるためでした。先にも少し触れましたが、そもそもキリスト教では、お金や古物を扱う仕事は卑しいとされていたため、ユダヤ人の仕事とされていました。そのような歴史もあり、全世界に散らばったユダヤ人が金融に特化していったことは、仕方のないことかもしれません。

数種類のユダヤ人

一口にユダヤ人といっても数種類の人々がいます。大きく分けると、「ハザール（カザール）」、「アシュケナージ」、「スファラディ（セファルディム）」、「オリエント・ユダヤ」です。

現代でも謎の多い、トルコ系遊牧民が建てたハザール王国のハザール人は、見た目も当時は日本人のようなモンゴロイドであったと言われています。

また、彼らは伝統的なトルコの多神教を信仰していたといわれています。西側にはキリスト教圏があり、南側にはイスラム圏がありました。その両方から改宗を迫られた結果、その折衷案として、ハザールの王様は国教をユダヤ教に改宗します。通説では、8世紀～9世紀頃ではないか、と言われています。しかし、後にこの国はモンゴルによって滅ぼされてしまいます。

そうして離散した「ユダヤ教徒のハザール人」が東ヨーロッパの方に移住していきまし

たが、上記の通り、彼らはおそらく人種的・血統的にはユダヤ人ではないだろう、と言われています。

広義には、血縁に関わらずユダヤ教の信者もユダヤ人と呼ぶこともありますが、国王が折衷案で国教をユダヤ教に改宗してしまっただけという説が今の所は有力とされているため、個人個人は信仰上もユダヤ人とは言えないのでしょう。（※ハザール人についてはまだまだ色々と分かっておらず、諸説あるため一概には言えない、とされています）

一方、ヨーロッパのキリスト教徒によって迫害されたユダヤ人がいました。

当時、ユダヤ人はローマ帝国（キリスト教）に追われ、大きく分けて３種類に分かれました。

ひとつは「アシュケナージ」と呼ばれる、西欧からロシア方面に広がっていった西欧・ロシア系のユダヤ人で、白人との混血で見た目は白人です。

もうひとつは「スファラディ」と呼ばれる、スペインから地中海一帯に広がっていった人々です。

そしてもうひとつは「オリエント・ユダヤ」と呼ばれる、中東のイスラム世界にいたユダヤ人たちで、この人たちは主に中東各地や中央アジアへ広がっていきました。アラブ人との混血であり、見た目もアラブ系です。

さらには、「ファラシャ（流浪者）」と呼ばれるエチオピアを起源の一つに持つコーカソイド系のユダヤ人もいたそうです。

以上の様に、ユダヤ人といっても、多種多様であり、決して一つの民族のみを指すものではない、ということがお分かりのことと思います。

また、イベリア半島（スペインやポルトガル方面）において、8世紀頃から数百年間続いたといわれる、イスラム教徒とキリスト教徒による「レコンキスタ（スペイン側から見た意味での〝再征服〟の意）」と呼ばれる争いがありました。アフリカの最北モロッコから、イスラム教徒が攻めてきて、イベリア半島の南側を占領したことがはじまりでした。

その結果、それまでスペインでは比較的自由であったユダヤ人が、キリスト教徒に迫害されていきます。その時、スペインから逃げるユダヤ人を匿（かくま）ったのがオランダでした。

オランダは当時、スペインに対する独立運動の最中でした。そしてそれを支援したのがイギリスでした。敵の敵は味方ということでユダヤ人を匿った結果、スペインにいた金融ユダヤ人たちがオランダのアムステルダムに集中しました。

そうして17世紀には、アムステルダムは世界の金融の中心となります。比較的小さな国であるオランダが、当時の世界貿易の50％を握るほどでした。それが、当時の日本でポルトガルとの貿易が破談した後も、オランダとの貿易が長崎の出島で行われていた理由のひとつです。その資金源はユダヤ人であったのです。ちなみに、同じ時期にスペインを追われたユダヤ人たちがイギリスへ渡り、やがてだんだんと大きな都市へと発展していったのが、ロンドンであると言われています。

さらに、彼らは世界初の中央銀行といわれる、アムステルダム銀行を作ります。その後の他の国にできた中央銀行と同じように、政府（オランダ）にお金を貸す時用の銀行です。

彼らは探検事業にも投資していきます。

やがて、マナハッタ族という先住民のいる島に辿り着いたオランダは、その島の最南端部に植民地を作りました。弓や槍などの武器しか持たなかった先住民に対し、オランダは最新の銃や大砲を持っていました。そして土地の所有という概念の無かった彼ら先住民から、半ば詐欺同然の二束三文で土地を買い取り、港と砦を建設しました。そうして実質的には先住民から奪い取った新しい植民地のことを、『ニュー・アムステルダム』と名付けます。

その後の17世紀後半、オランダとイギリスの間で戦争が起きます。（英蘭戦争）

そして『ニュー・アムステルダム』の地で、イギリスとオランダの間で争いが勃発、オランダは島を横断する城壁を築いて対抗します（※壁の建設理由には諸説あります）。この戦いに勝利したイギリスが『ニュー・アムステルダム』を奪い取ります。

そして、イギリス軍を送り込んだチャールズ2世の弟に当たるヨーク公ジェームズ二世から名前をとって、新しい植民地の名前を『ニューヨーク』と改めました。マナハッタ族のいた島は、今日では『マンハッタン』と呼ばれています。

さらに、城壁のあったところは後に奴隷市場となり、やがてニューヨーク証券取引所ができます。これが「ウォール（壁）・ストリート」の起こりであり、現在の「ウォール街」となったのでした。

ですから、成り立ちからニューヨークそのものを作ったのも、ユダヤ人なのです。「ニューヨーク・タイムズ」がよく「ジュイッシュ・タイムズ（ユダヤ新聞）」などと呼ばれるのは、その様な理由もあるからでしょう。

アムステルダムもロンドンもニューヨークも、その興隆・成り立ちの根幹には、ユダヤ人がいました。

一部で「ユダヤの陰謀」の様に叫ばれるものが、このように丁寧に史実を見ていけば、その端緒が事実に基づいたことである、ということが分かると思います。

アメリカへの介入とＦＲＢ

ロスチャイルド家のヨーロッパ支配、及びその後の世界進出の大立役者は、初代マイアー・アムシェル・ロスチャイルドの三男で、ロンドンを任されたネイサン・マイアー・ロスチャイルドと言われています。

ネイサンは、ヨーロッパの中でも特に優越的地位にあった、ロンドンの金融街「シティ」のイングランド銀行を執拗に追い詰め、遂には十分な株式を獲得し通貨発行権を手に入れます。このイングランド銀行を手中に収めたことは、その後のロスチャイルド家の世界進出にとって、非常に強力な推進力となりました。以後、このイングランド銀行をモデルとして、各国に民間所有の中央銀行をつくっていきます。

アメリカへのロスチャイルドの関与が強くなったのは、1830年代頃からと言われています。米英戦争（1812年〜14年）により政府の膨らんだ借金の結果、アメリカ合衆国の信用が建国以来最低水準に落ちてしまいました。そこで、当時のマディソン大統領と議会は、それまでにあった第一合衆国銀行に代わる新たな民間所有の中央銀行として、第二合衆国銀行を創設しました。

この銀行の筆頭株主は、ネイサンの弟の五男でパリ家当主のジェームズで、一時期、保証人となっていたのがネイサンでした。ロスチャイルド家と第二合衆国銀行との連携は効果を上げ、次第にアメリカでの成功を築いていきます。しかし、この「民間銀行（しかもその所有者は外国人である）」が政府を差し置いて、一国の財政を握っている、という異常な状態に、国民の中にも猜疑心を持ちはじめる人々が出てきました。次第にロスチャイルド家を非難する州知事も現れはじめ、その様な背景を受け、第二合衆国銀行をなくすことを謳って再選したのが、第7代アメリカ合衆国大統領アンドリュー・ジャクソン（在任1829年〜37年）です。

ジャクソン大統領の奮闘の結果、ヨーロッパ各国とは違い、アメリカには1836年から1913年まで、中央銀行は存在しませんでした。この時以来、ロスチャイルド家にとって、アメリカ合衆国に民間の中央銀行を作ることが、第一の目標となったのでした。1836年7月、ネイサンはフランクフルトにて58歳で病死。毒殺説もあります。そして奇しくもその翌年、ジャクソン大統領は暗殺されかけています。この暗殺未遂についても、様々な噂が飛び交いました。

1902年、ロスチャイルド家の新たな代理人として渡米した、ウォーバーグ家の次男ポールが、当時、J・P・モルガンと並びウォール街の大御所となっていたジェイコブ（ヤコブ）・シフに誘われて、クーン・ローブ商会の共同経営者となります。以降、ポールはジェイコブ・シフのクーン・ローブ商会と、兄であるマックスの経営するウォーバーグ商会の両方の力を得て、国際的な影響力を高めていきます。ロスチャイルド家が、悲願であるアメリカ合衆国での民間所有の中央銀行創立を実現させるために、第一次世界大戦の前に送り込んだ工作員がポールである、とするのが有名な説です。

先述の通り、アンドリュー・ジャクソン大統領の奮闘により、その後数十年の間、1913年のウッドロー・ウィルソン大統領のときまでアメリカには中央銀行が存在しませんでした。クリスマス休暇で多くの議員が田舎へ帰省しているときを狙って、当時のウッドロー・ウィルソン大統領によって、議会で強行採決されたのでした。つまり、多くの議員が反対していたのです。

ポールは、ロックフェラー家などに接近し、1907年に「恐慌」を演出、金融危機を意図的に作り出すことによって、入念なシナリオ通りに、イングランド銀行をモデルとした中央銀行を作ることに成功します。

もちろん、その裏ではモルガン、クーン・ローブ、ロックフェラーなど、ロスチャイルド家傘下の組織や人脈が、大きな働きをしていたといわれています。

以降、アメリカ政府はFRBにドルを発行してもらうために、国債を発行し利子を払わなくてはいけなくなったのです。それは2023年現在も変わっていません。

なお、アメリカにおける中央銀行の仕組み、「連邦準備制度理事会」や「連邦準備銀行」(共に通称FRB)についても、少しだけ簡単に述べておきましょう。

連邦準備制度は、ワシントンD.Cにある連邦準備制度理事会(Federal Reserve Board, FRB)が全国の主要都市に散在する連邦準備銀行(Federal Reserve Bank, FRB)を統括するものです。

連邦準備制度理事会は、連邦議会の下にある政府機関とされ、予算の割当や人事の干渉は受けないとされています。そして議長と理事は大統領が指名し、上院の承認が必要であるとされていますが、その大統領や議会自体もグローバル勢力の影響下にある場合は、形式上のものにすぎないということは、筆をとるまでもありません。さらに、連邦準備制度理事会の決定は、「大統領の裁可を受けずに、いかなる政府機関や議会の承認も受けない」ということになっています。

また、アメリカ合衆国の金利、通貨の数量と価値や債権の販売などの金融政策は、連邦準備制度理事会ではなく、12ある連邦準備銀行の中のトップである「ニューヨーク連邦準備銀行」によって決められています。つまり、実質トップである「ニューヨーク連邦準備銀行」が実権を握っているのです。

そして、この「ニューヨーク連邦準備銀行」の約40%を占める大株主が、ナショナル・シティ・バンク、ナショナル・バンク・オブ・コマース、ファースト・ナショナル・バンク、ハノーヴァー・ナショナル・バンク、チェース・ナショナル・バンクの5行であり、この5行の持ち株比率は後に50%を超えたと言われています。そして、当時この5行の主な株主が、ロスチャイルド家、シフ家、ウォーバーグ家、ロックフェラー家、モルガン家、クーン・ローブ商会、リーマン・ブラザーズなどでした。どれもロンドンのロスチャイルドとつながっており、ここに、アメリカ統治の多重構造の複雑さが垣間見れます。

つまり、アメリカという国の財政を、民間の、しかも同じ様なグループ・一派の人々が、事実上牛耳っているのです。これは、現在ではより複雑化していると思いますが、似た構図を見ることができます。結局はグローバリストたちが、お金を生み出しそれを支配・コントロールするための構図であり、世界を全体主義社会にするための構図です。大雑把に言ってしまえば、現在のCCP（中国共産党）のように世界を共産主義化していくことでそれを実現しようとしているのか、アメリカを中心とした国際金融資本家たち（ウォール街）のように金融資本（お金）の力で実現しようとしているのか、の違いにすぎません。そしてその中には、各人・各組織それぞれの立場による思惑の違いが錯綜しています。アメリカをはじめ欧米のグローバリストたちがそうであるように、中国にしても当然、単純に一枚岩とは言えません。習近平は共産主義というよりは、何よりも自分の権力と地位に興味があるようにも見受けられます。ある意味、中国政府というものも、習近平にとっては利用価値のある踏み台にすぎないのかもしれません。自分が権力を握り、且つ歴史に名を残すために必要なだけである、そういう印象を持たされる面があります。

ＦＲＢについて簡単に触れましたが、私たちにとって、なぜウォール街が世界の金融の中心のようなイメージなのか、ロスチャイルドをはじめとした金融資本家たちが、なぜアメリカに集まり、巨大な企業の多くがアメリカで誕生しているのか、なぜ想像を絶する規模の極端な大金持ちがこの世に存在するのか、それを解明する手がかりの一端が、この「民間の所有する中央銀行という仕組み」にあるといえるでしょう。

日本にも、唯一の中央銀行として「日本銀行（日銀）」があります。日銀は「認可法人」と呼ばれる法人で、政府や一般的な株式会社ではないとされており、民間企業とは言い難いとする意見もありますが、上場していることは事実です。一応は官民半々の組織であると言われていますが、日本銀行のホームページにある「資本金および出資」の説明欄によると、日本銀行の資本金1億円のうち、約5500万円が政府からのものであり、残りは民間からの出資である、と書かれています。（日本銀行について 日本銀行の概要。掲載ページＵＲＬ→https://www.boj.or.jp/about/outline/)

ちなみに「連邦準備制度」という非常に実態の分かりにくい名前は、ロスチャイルド家の代理人ポール・ウォーバーグが付けたものでした。前述の通り、当時アメリカでは通貨の発行権を持つ「中央銀行」に批判的な意見が多くありました。そのため、「国有ではなく民間が所有する中央銀行」という性格を分かりにくくするために「連邦」という名称を使ったのでした。アメリカ政府は「ドル」の発行に権限を持たず、経済はFRBの民間人株主の意向に左右されているのです。

また、ポールの弟のフェリックスはジェイコブ・シフの娘フリーダと結婚し、生まれた娘のフェリシア・シフ・ウォーバーグは、フランクリン・ルーズベルトの息子ルーズベルト・ジュニアと結婚して3番目の妻となります。さらに、ポールの息子ジェームズ・ポール・ウォーバーグは後に、フランクリン・デラノ・ルーズベルト大統領1期目の金融財政顧問を務めることになります。

メディアの掌握

アメリカへ再度本格進出する前のロスチャイルドには、どのような動きがあったのでしょうか。

１８５１年、ドイツ系ユダヤ人ポール・ジュリアス・ロイターがロンドンで創業し、海底ケーブルを使ってパリやロンドンの金融情報を配信。ロイター通信（Reuters）のはじまりです。

ロイター通信の最初の顧客は、ロンドン・ロスチャイルド家初代当主ネイサンの長男で、ロンドン家二代当主のライオネルと言われています。

ロスチャイルド家は、ヨーロッパ中のあらゆるニュース配信をコントロールするため、イギリスのロイター、フランスのアヴァス、ドイツのヴォルフなどのユダヤ系通信社３社に融資して、その支配権を握ると同時に、ユダヤ系以外の他の通信社は、ことごとく潰していったと言われています。

ロイター、アヴァス、ヴォルフは市場分割し、大英帝国およびその植民地を含む英語圏はロイター、フランス・イタリア・スペイン・南米といったラテン語圏はアヴァス、ドイツから北欧のハンザ同盟と呼ばれた貿易圏はヴォルフの担当とし、お互いに情報を交換し合いながら、世界中のニュースをこのロスチャイルド系の３社で独占しました。この頃、日本の新聞社にもロイターが関わり始めます。そして、ロスチャイルド家の張りめぐらした情報ネットワークは、のちのイギリスの情報機関ＭＩ５やＭＩ６にもつながっていきます。

なお、メディアを掌握したロスチャイルド家は、当然、情報を使って大きな利益も生み出しました。１８６９年のスエズ運河開通、81年の第一次ボーア戦争、83年のオリエント急行開通など、ロスチャイルド家が関わっていくことになる大きなできごとの陰には、必ずと言っていいほど、ユダヤ通信３社による証券市場に与えた影響があったと言われており、その都度、ロスチャイルド家は大儲けをしました。

情報をビジネスに結びつけるシステムそのものの基を作ったのは、ロスチャイルド家初代当主マイアー・アムシェル・ロスチャイルドでした。それを拡大し盤石なものへと発展させ、並外れた商才を持っていたロンドン家初代当主でロスチャイルド家の英雄三男のネイサン、そして世界の金融市場の王とも呼ばれたその長男ライオネル。

ロスチャイルド家は初代マイヤーの時代から１００年も経たずに、世界中のお金と情報をその手中に収めてしまったのでした。

その影響は今日も続いており、ロックフェラーをはじめとする巨大資本や、ユダヤ系有力者たちが、現在も同じように人々を睥睨（へいげい）（※睨みつけていること）し続けています。なお、言うまでもないことですが、ユダヤ人やユダヤ系の全てを一緒くたにしているのではなく、国際金融資本家やグローバリスト、及びその流れを汲んだユダヤ人・ユダヤ系のことを主に指しています。

ゲイツ財団

世界的大富豪の中でも、ビル・ゲイツ氏の名前は特に有名でしょう。しかし多くの方の抱くビル・ゲイツ氏のイメージは、慈善活動をしているお金持ちやマイクロソフトを作った人、といった漠然としたものではないでしょうか。

第1章で「緑の革命」について少し触れ、ロックフェラー財団が大きく関わっていたと書きましたが、そこにはビル・ゲイツ氏の「ビル&メリンダ・ゲイツ財団」も非常に大きく関与していました。

農に多様性がない国ほど「有事に弱い」という事実は、コロナ禍やウクライナ戦争で明白になっています。

そして、作物の収量を上げるために農薬や化学肥料を使い、さらに遺伝子組み換えなども行い、種は大量生産しやすい一代交配と呼ばれるF1種を使い、形も味も色味もほぼ均一に安定した作物を生み出し、それらを可能にするための資材と農機を導入する。これが大規模農業であり、それを急速に推し進めたのが「緑の革命」でした。

しかしその「緑の革命」の後には、土壌汚染、水質汚染、さらには資材購入のために積み重なった借金苦から、農民の自殺率の増加が指摘されています。

2006年、ビル&メリンダ・ゲイツ財団は、ロックフェラー財団と共にAGRA（アフリカ緑の革命同盟）を立ち上げました。

アフリカでの新しい市場の開拓や近代農業技術を普及させるために、『遺伝子組み換え種子』、『化学肥料』、『大量生産』、『欧米主導』の四つを軸に掲げています。

2021年までに、アフリカ11カ国3000万世帯の収入増と、食糧不足を解決するとしていましたが、2020年の時点で、むしろ飢餓人口の増加が明らかになると、AGR

Ａのホームページ上から、この目標部分が削除されました。

まるでそんなことなど無かったかの様に、ゲイツ氏は強調します。

「遺伝子組み換え種子は干ばつや感染症に耐えるため、化学肥料は土壌の養分を増やすため、ワクチンは家畜の管理のためである」と。

大量の肥料を貯蔵しておくためには、巨大な倉庫も必要です。

そこで、ゲイツ財団が株主でもある世界的アグリビジネスのヤラ社が、年間50万トンもの肥料を貯蔵できる倉庫を、タンザニアに作りました。

当然、資金の調達が必要になります。そこでゲイツ財団の提供する、スマホを使った金融サービスの登場です。同財団によると、貧しい農村を支える女性たちの経済的自立を促す、とのことですが、使われるのはゲイツ氏のマイクロソフト社が、インドや南米の農民に無料配布していたアプリと同じサービスです。

この便利なアプリにより、銀行口座がなくても借り入れができるようになります。と同時に、それは巨大企業に金融データを握られる、ということを意味します。

しかし同財団のサズマンＣＥＯは言います。

「私たちにはテクノロジーとツールと資金があります。食料を輸入に頼っている「有事に弱い」国を、食料の自給できる国にするため」であると。

（「ルポ 食が壊れる 私たちは何を食べさせられるのか？」堤未果　文春新書）

近代農業と現代医学は似ています。

どちらも対症療法的です。

作物の収量を上げるために化学肥料を使えば使うほど、土中の窒素やリンは過多になります。それらは分解されず、水路などから海へ流れると、プランクトンが大発生します。今度はそのプランクトンの死骸を食べる微生物が大量に酸素を使います。その結果、その海域は低酸素状態となり、魚介類は棲めなくなるといわれています。

その様な場所が、すでに４００ヶ所以上も世界中に存在するといわれています。たくさん売って大きく儲ける、という目的があるだけでなく、この農業形態は作られたシステムです。構造的に依存で成り立っており、その依存を強固なものとするためには、それがないと困るという状態にすればよいのです。

農薬も化学肥料も使わない「自然農法」や「自然栽培」をはじめるには、素人の方が向いているといわれています。

慣行農法（近代農業）をしてきた土地では、薬や化学肥料がないと、野菜が育たなくなっているからです。

人間で言えば、サプリメントやプロテインや栄養ドリンクを常飲している状態と同じです。

現代医学が、薬や検査やその他様々な形で依存を生みだす構造と、農業のそれが似ているのは当然です。そういう仕組みを作っているのは、共にグローバル企業だからです。

この様なシステム作りは、政治や宗教など、形を変えてあらゆる分野で行われており、それを人々の目から隠すためのツールの一つが、テレビや大手新聞をはじめ主流メディアの組織としての役割である、と言わざるを得ないのが現状です。

国や地域ごとにあった伝承農法は、どんどん失われています。それらには、薬も化学肥料も、高価な農業機材も使わずに、美味しく栄養価の高い作物を作る知恵が詰まっています。

土壌や水質の汚染も少なく、身体にも良いものです。そうした農法を広めることも、大切ではないでしょうか。

話をゲイツ氏に戻しましょう。

先ほども書いた通り、多くの方はゲイツ氏に対して、世界的な実業家であり慈善家というイメージをお持ちでしょう。確かに、これを書いている時点（２０２３年7月初旬）で手に入れることのできる、ビル・ゲイツ氏の最新刊である『パンデミックなき未来へ　僕たちにできること』（早川書房刊）の前付け（本文の前に挿入される目次や挨拶などのこと）には、こうあります。

『ＣＯＶＩＤの最中に命をかけて現場で働いてくれた人たちへ、またその人たちが二度と同じことをしなくてすむようにできる科学者およびリーダーたちへ。

また命を救うことに力を注ぎ、世界に刺激を与えたポール・ファーマー博士を追悼して。

本書から得た著者の収入は、彼の団体〈パートナーズ・イン・ヘルス〉に寄付される。』

（筆者注：ＣＯＶＩＤ＝COVID-19。新型コロナウイルスのこと）

ゲイツ財団の保有する株式や債券としては、モデルナ、ファイザー、アストロゼネカ、バイオジェン、ノババックスなどがあります。

２０００年には、およそ６３０億ドルといわれていたゲイツ氏の個人資産は、２０２０年にはおよそ１３３６億ドル（約15兆円）と倍以上になっており、コロナのパンデミックが始まった２０２０年の一年間だけで、およそ２３０億ドル（約３兆円）の増益であったと言われています。

また、世界最大の民間財団である「ビル&メリンダ・ゲイツ財団」は、ＷＨＯ（世界保健機関）最大の民間出資者であり、この金額を超える出資者は米国だけであると言われています。

米ジョージタウン大学公衆衛生研究所の所長であり、ＷＨＯ協力センターの所長でもあるローレンス・ゴスティン教授は、民間ドナーの拠出金への過度な依存を問題視しています。ゴスティン教授は言います。

「ゲイツ財団がＷＨＯに提供する資金のほとんどが、ゲイツ財団の取り組む特定の課題に対してのみに使われています。つまりＷＨＯが自ら公衆衛生の問題の優先順位を決められないうえ、民間の拠出者が責任を負うことはありません。国家とは違い、民主的な説明責任がほとんどないからです」

2018年から2019年にかけてのWHO事業予算への拠出額3位はイギリスであり、4位は途上国などでワクチンの普及を進める「GAVIワクチンアライアンス」となっています。そして、この4位のGAVIは、設立時にゲイツ財団の支援を受けて設立された国際組織です。(swissinfo.ch 2021/05/18. Julia Crawford)

なお、ゲイツ氏の本の前付けに登場したポール・ファーマー博士ですが、世界中の貧困国で医療環境の改善に尽力して来たといわれる彼の死は、ファーマー氏と数人の仲間が共同で設立した医療NPO「パートナーズ・イン・ヘルス」により、滞在先のルワンダで睡眠中に亡くなったと発表されました。死因は公表されていません。(2022年、2月)

ダボス会議(世界経済フォーラム)

「ダボス会議」とは、毎年スイス郊外のダボスという街で開かれる国際会議、正式には

「世界経済フォーラム（World Economic Forum）」という名称であり、英語の頭文字をとって、通称「ＷＥＦ（ウェフ）」とも呼ばれています。

主宰であるスイスの経済学者クラウス・シュワブ氏は、この章のはじめの方でも一度名前が出てきました。ダボス会議の運営は、世界中の企業や組織・団体からの寄付金でまかなわれており、特定の利害と結びつくことのない非営利組織であるといわれていますが、その資金提供企業や参加者のほぼすべてがグローバリスト（全体主義者）です。

ダボス会議から招待された企業や社会的なリーダーといわれるような経営者など、その多くの人々は、まるで自分が選ばれた人間のように錯覚します。ダボス会議の実態がなんであるかも知らず、自分のステータスのように誇る人もいます。もちろん、その実態を知った上で利用する人々もいます。利用され、自分も利用するのです。これは世界的な規模で何かをする人々に共通の常識・処世術であるようです。

現在進められている、昆虫食の推進や気候変動への取り組み、人口の削減（コントロール）や「ＳＤＧｓ（持続可能な開発目標）」などといったナラティブ（意図的に作られたストーリー）は、国連やこのダボス会議によって計画・立案されるものです。

人々の投票で選ばれたわけでもないＷＥＦ＝ダボス会議の壇上に上がる人々は、今後の世界の様々なことを議題にあげます。

そこで出てきた新しい言葉、例えば「多様性」といったような言葉は、このダボス会議によって世界へ広められます。それを、あたかも理解の進んだ最先端の素晴らしい「考え・視点」かの様に、メディアが各国へ伝えます。すると、各国のテレビ局や新聞は、一斉にそれに倣います。

言うまでもなく、ダボス会議に集う企業や組織・団体の多くが、テレビ局や新聞社の株主やスポンサーであったり、あるいはその関連組織です。テレビをはじめ主流メディアや街中は、あっという間にプロパガンダで溢れます。例えば、オリンピックが決まれば、一斉に街中にオリンピックの五輪マークが溢れるのと同じです。ＳＤＧｓならＳＤＧｓ、ＬＧＢＴ運動なら、それを表すレインボーカラー（虹色）が街中や広告、電車の中吊り、テレビだけでなくウェブＣＭや雑誌の広告、ファッション・ブランドはキャンペーンを開催し、その最先端の思想を喧伝して、自らのブランドを売り込みます。何も意識しなければ、知らず識らずのうちに世論はレインボーカラーに染まっていきます。

さて、原点に「ローマクラブ」を持ち、1972年の世界経済フォーラム創設以来、50年以上もその主宰を務め続けているクラウス・シュワブ氏とは、どのような人物なのでしょうか。

1935年、ナチス政権下のドイツではニュルンベルク法により、ユダヤ人の市民権が剝奪されました。その3年後の1938年、シュワブ氏はドイツに生まれます。幼い頃に両親は離婚し、母親はその後、ドイツからアメリカに亡命した多くのユダヤ人の1人になったと言われています。その後父親は再婚し、エッシャーヴィス社に入社します。やがて同社はナチスの軍需産業を支える企業となっていきます。シュワブ氏は後に米国へ渡り、ハーヴァード大学でキッシンジャー氏に師事します。（参考：茂木誠氏による解説。「ダボス会議の世界史①～中略～【CGS 茂木誠 ニュースでわかる地政学 第116回】」→https://www.youtube.com/watch?v=vKi7FF6HtXM）

スイス政府は世界経済フォーラム（ダボス会議）を国際機関であると認定し、免税とされており、参加企業は1000を超え、そのほぼ全てがグローバル企業であると言われています。つまり、グローバリストとはダボス会議のメンバーである、とも言えるわけです。

ちなみに、2023年1月のダボス会議には、日本から河野デジタル大臣や小泉進次郎衆議院議員、西村経済産業大臣（当時）、竹中平蔵氏などが参加しました。

2023年1月、世界経済フォーラムの開催されるスイス・ダボスの街に、日本のジャーナリスト我那覇真子氏が単身乗り込みました。

現地で取材を進める中、世界を股にかけるジャーナリストの嗅覚と直感で、主宰のクラウス・シュワブ氏の動向を突き止めます。氷点下の屋外で数時間、辛抱強く待ち続けた後、シュワブ氏への突撃取材が敢行されました。

「シュワブ会長、日本から来ました。コメントをいただけませんか？」との問いに、すかさずスタッフらしき女性が割り込んで来ます。スタッフの事務的な対応と、無言で歩いていくシュワブ氏に、懸命に取材の申し込みをする我那覇氏。

そんな中、奇跡的に一言「どちらのメディア？」と、シュワブ氏が立ち止まります。

しかし、我那覇氏が「インディペンデント（独立系）のジャーナリストです」と伝えると「ノー・サンキュー（結構です）」と答えて、シュワブ氏は再び背を向けて歩き出してしまいました。

その後も懸命に後を追い、彼らが車に乗り込む直前、最後に我那覇氏は次の様に質問を投げかけます。

「人々のグローバリズムを懸念する声は聞こえていますか？」

質問に対する回答は得られず、車は去って行きました。

（取材の様子を伝える動画のタイトル→『クラウス・シュワブ氏遭遇！　突撃取材依頼が、〝Klaus Schwab〟Which media are you from?〟〝independent〟.〝No thank you.〟』我那覇真子チャンネル、YouTube）

この動画が公開されると、世界中で我那覇氏に対する称賛の声が上がりました。シュワブ氏の動きを的確に予測し、建物から車へ移動するほんの短い時間をピンポイントで突いて突撃取材をするなど、なかなかできることではないからです。

そして、我那覇氏の取材に対する真摯な姿勢にも、欧米の保守系ジャーナリストたちの多くが共感したのでした。その後、ＦＯＸやＣＮＮといった最大手局の全米規模で放送される番組への出演や、欧米の反グローバリズム団体やジャーナリストたちとの連携が、少しずつ始まっています。

これは日本にとって大きなチャンスであり節目だと思います。我那覇氏が先鞭をつけたこの連帯の萌芽を、大事に育てていかなければなりません。日本国内の問題に限らず、日本人だけでグローバリズム・全体主義に立ち向かうのではなく、世界中の反グローバリズム組織や全体主義に異を唱える人々が手を取り合い、連携していくことが大事だからです。なぜなら、グローバリズムの侵食は、世界中で同時に起こっている流れだからです。

これは、戦時下における戦略と同じです。一国だけで戦争をする国はまず勝てません。現代は情報戦の時代であり侵略戦争のさなかにあります。仮に現在を第三次世界大戦下とするならば、爆弾やミサイルではなく、目には見えない領域での戦いが繰り広げられているところです。

宗教戦争の様な側面もあるでしょうし、経済戦争でもあるでしょう。先の大戦における、日米戦争の大敗の大きな原因のひとつが、山本五十六をはじめとした一部の人々による南進論にあったことは、最近の研究で明らかになっています。その理由は、真珠湾攻撃が、第一次大戦の記憶がまだ生々しかったアメリカ国民の厭戦の空気を破壊したということが、最も大きかったでしょう。しかし、それだけでなく、西進ではなく南進作戦の方に大きく舵を切ったことにより、同盟国であったドイツやイタリアとの連携が、事実上崩壊したということも大きかったのではないでしょうか。

世界の趨勢は、我々一般人の知らないところで決められています。その一つがダボス会議であり、その様に言うとまさに陰謀論みたいに聞こえるかもしれませんが、陰謀論ではなく実際に陰謀があるのです。

私の持論として、現代のグローバリズムの源流の一つは大航海時代である、という見方があります。古くまで遡れば、プラトンの時代にまで遡れるのかもしれませんが、直接的な源流の一つとして、大航海時代を想定しています。クラウス・シュワブ氏の著書のうち、これを書いている時点（2023年7月初旬）での最新刊である『ステークホルダー資本主義』（日経ナショナル ジオグラフィック刊）の中で、奇しくもシュワブ氏はこう述べています。

「真の意味での世界貿易が始まったのは、大航海時代だ。この時代、15世紀末を境に、欧州の探検家が東洋と西洋をつないだ。そして南北アメリカ大陸を偶然に見つけた。～中略

〜　最初はポルトガルとスペイン、続いてオランダとイギリスがまず新天地を「発見」し、支配下に置き、しまいには自分たちの経済圏に組み入れた。」

ポルトガルとスペイン、続いてオランダとイギリス。これはまさに日本へやって来た欧州の国の順番と重なります。

さて、彼ら欧州の人々が、どのように〝彼らにとっての〟新天地を「自分たちの経済圏に組み入れた」のかは、正確に語られることはほとんどありません。

そのことについては後に少し触れようと思います。彼らの侵略と奴隷貿易、そして日本における南蛮貿易の真の実態を、我々日本人は知っておくべきだと思うからです。

シュワブ氏は同書の中で、大航海時代はあくまでも本格的なグローバル化には至っていないとした上、グローバル化の最初の波として、第一次産業革命時代のイギリスを挙げ、大英帝国の成立と、蒸気機関や紡績機械などの技術革新による、イギリスの台頭を挙げています。

そして第二次世界大戦の終わりをグローバル経済の新しい始まりとし、新たな覇権国として米国を挙げています。

シュワブ氏の著書を読めば、それがある種の『指示書』であるということが分かります。

要するに、彼や彼らダボス会議の常連たちの言いたいことは、

『人類は常に危険にさらされているため、日頃からその脅威に備えるべきであり、世界中の人々が同じ思想と経済システムとルールの元に、一つになって生きるべきである。そのための方法は、世界のリーダーたちが考えてあげるから、庶民は黙ってそれについて来なさい』

ということでしょうか。

そして、「何がどう危険にさらされているのかも、どのようにそれに備えるべきかも、また、どんな思想を持つべきかも、その社会を動かすルールも」、決めるのは彼らということでしょうか。

シュワブ氏の著書は一見、ダボス会議等について大手メディアの報道だけを信じている人が読めば、非常にまともなことが書いてある様に思えるかもしれません。我々庶民にとっては規模が大きすぎる、シュワブ氏のような世界的な富豪やダボス会議や国連などの話は、

「世界的に有名な組織なのだから、そこに関係している科学者や専門家も、みな世界最高

峰の信用できる知識人なのだろう」

という漠然としたイメージを持ってしまいがちです。特に、シュワブ氏の書籍を買って読もうと思う人には、その様なイメージを持っている人が多いのではないでしょうか。そして同じことが、ビル・ゲイツ氏にも言えるかもしれません。彼らが書籍を販売するのは、それがある一定の影響力を持つということが分かっているからであり、時にはある種のアリバイ作りのためであったり、権威付けの意図があったりするのかもしれません。

第4章

Silent Invasion
（見えざる侵略）

いつの間にか
入り込んでいる悪魔

something sinister（邪悪な意思）

本書は政治書ではありませんし、国際情勢の専門書でもありませんが、共産主義についても少しだけ触れておきましょう。

共産主義と聞いて、まず思い浮かべるものはなんでしょうか。

マルクスと答える人もいれば、中国が思い浮かぶ人もいるでしょう。あるいはソビエトや北朝鮮でしょうか。国名よりも、真っ先に赤色が浮かぶ人もいるでしょう。

古くは、キリスト教共産主義などがあったとされていますが、本書では19世紀に登場し共産主義と社会主義をほぼ同義に用いた、マルクス主義系の共産主義を、現代に続く共産主義の起源のひとつとして捉え、それを前提に書こうと思います。

また、社会主義と共産主義の違いを簡潔に述べるならば、社会主義は「理想」であり、共産主義は「実行」である、と言えるでしょう。無論、「理想」とは彼らにとっての、という意味です。

カール・マルクスは1818年、ドイツに生まれます。そして、ロスチャイルド家の世界進出の礎を築いた、ネイサン・マイヤー・ロスチャイルドの奥さんであるハンナの従姉妹の孫にあたります。つまりマルクスとロスチャイルド家は親戚関係にあったのです。

ハンナの実家コーエン家は、当時ヨーロッパで最も大きな産業であった紡績・綿産業を仕切っていた大富豪の家系であり、ロスチャイルド家はご存知の通り、ニューヨークのウォール街とロンドンのシティで暗躍した国際金融資本の本家本元と言っていいでしょう。

また、母方のいとこのフィリップスは、現代オランダに本社のあるグローバル企業・フィリップス電気の創業一族でした。

マルクスは、数十年間も図書館にこもって研究を続けたとされていますが、パリ家とロンドン家のロスチャイルド、およびフィリップス一族が財政支援していたといわれています。

マルクスの生涯についてはこの本で詳述しませんが、現在のグローバリズム・全体主義の起源でもあるロスチャイルド家と、現代に続く共産主義の生みの親とも言えるマルクスに、繋がりがあったということは重要な点であると言えます。つまり、共産主義の元を作ったのもロスチャイルド家であり、その最終目標は、結局はグローバリズムである、ということです。そして、中国共産党のシンボル・カラーの赤色は、「赤い盾（ロートシルト＝ロスチャイルド）」の赤が源流にあるということは、もうお気づきの通りです。

さて、マルクスの考え方の基本は反キリスト教であり無神論、反封建主義でした。そして、代々ユダヤ教のラビをしていたユダヤ人の家系であったため、マルクスの思想の背景にはユダヤ教があります。

詩人として有名なハインリヒ・ハイネはユダヤ人であり革命家でもありました。そのハイネとの出会いが、マルクスを革命へと目覚めさせます。

ハイネはマルクスの21歳ほど年上でしたが、3～4代前まで遡ると、二人は血の繋がっている親戚となるのでした。そのような縁もあり、二人は意気投合、ハイネは新作の詩ができると先ず最初にマルクスに見せるほどの仲であったと言われています。１８４３年～１８４５年頃のパリで、ハイネは革命家として、マルクスと頻繁に会います。そうして当時20代半ばであったマルクスに「プロレタリア革命」という概念を教えます。

ハイネは、ナポレオンとゲーテとロスチャイルドを人類の発展にとって重要な存在とみなしていました。パリ・ロスチャイルド家創業者、ジェームズ・ロスチャイルド（１７９２～１８６８）の屋敷にスタッフとして出入りしながら、一方でマルクスと頻繁に会い、指導したといいます。

マルクスの妹のルイーズの夫は、南アフリカの出版業の父と呼ばれていました。当時の南アフリカは、大英帝国の植民地であり、アフリカのナポレオンとも呼ばれたセシル・ローズが、ロスチャイルド家から多額の資金援助を受けデビアス社を設立、数々のダイアモンド鉱山を買収していきました。世界のダイアモンド流通量の90％が、デビアス社の独占であったといわれており、セシル・ローズは後に南アフリカの首相になり、独裁的な政治をしたことで知られています。その南アフリカにおける政府の刊行物を、一手に引き受けていたのが、マルクスの義弟の出版社であったといわれています。そして、当時セシル・ローズ政権の司法長官を務めていたのが、マルクスの甥でした。

マルクスは、イギリスの労働者（プロレタリアート）の搾取については声高々に訴えていますが、アジアやアフリカにおける搾取については一切触れていません。

当時の大英帝国による搾取の規模で言えば、アジア、アフリカにおける搾取の方が圧倒的であり、アヘン戦争や奴隷貿易などを見れば明らかです。しかしマルクスはそのことには一切触れず、そちらの方に人々の目を向けさせません。アジア、アフリカからの搾取した膨大な利潤が大英帝国を発展させたことには、触れないのです。（林千勝氏による解説を参考に抜粋）

さて、現代の共産主義の原点とも言えるマルクス主義は、「今現在」よりも「未来」を重視する傾向があります。

よって、「理想はいつか実現する」と人々に思い込ませることで、その思想の延命を図ります。

ナチスの迫害から逃れ、アメリカへと渡ったドイツ・フランクフルト大学出身のフランクフルト学派は、マルクス主義系共産主義に、フロイトの「人は生まれながらにして不幸である」という考えをベースとした「エディプスコンプレックス」という概念を加えてひとつにしました。

それが、現代の新・共産主義とも呼ばれるものです。

「社会機構や経済機構」と人間の「精神の問題」を、一緒くたにしたのです。

ソ連崩壊という社会主義の失敗を経験し、その一方で、資本主義が進んだイギリスでも中産階級化は進むという事実を見て、それまでの「資本主義が続く限りは社会の問題は無くならない」としていた見方が、成立しなくなりました。そこで共産主義者は、破壊の対象を「資本主義」から「文化」へと変えました。

そのようにして、マルクス主義の「暴力革命」を、もっと見えづらい形に変化させた人々や思想・立場を総称して「リベラル」と言うのでしょう。

やがてリベラル（リベラリズム）は「平等」という概念を獲得して、「伝統と文化の破壊」に利用していきます。その分かりやすい例が、ＢＬＭ運動やＬＧＢＴ推進運動などの分断工作です。

日本の神社仏閣はおよそ16万以上、神社庁などに登録されていない小さな祠なども入れると、その数は20万ほどあるだろうとも言われています。そして街中にいくらでも見かけるコンビニは、全国におよそ５万７千店舗（２０２３年７月）あると言われています。

神社仏閣には数百年以上、中には一千年、二千年、あるいはそれ以上、と現代まで受け継がれてきているところもあり、日本が「伝統」と「文化」を大切にしてきた国であることは、当たり前のようで忘れてしまいがちですが、非常に大切なことです。

日本の歴史からは、「伝統」と「文化」を切り離すことができないのです。「伝統と文化の破壊」が自由で平等な社会を生み出す、という理論が、深く考えずとも日本人にはピンとこないのは、日本がその長い歴史を通して「伝統」と「文化」を大切に守ってきた結果、世界で最も治安が良く、清潔で住みやすい社会を実現しているからです。

ほとんどの日本人は、礼儀正しく、物腰が柔らかく、優しくて親切です。そのような国は、他にまず思い浮かびません。私たちにとっては当たり前のことでも、世界的にその様な社会を長い歴史と文化・伝統を守りながら実現し、維持できているのは、日本しかないのです。

それは、レヴィ・ストロースをはじめ、多くの海外の文化人も指摘していることです。

災害時にも、暴動にならずに整然と並んで支援物資を受け取る日本人の姿を、東日本大震災をはじめ多くの映像で見たことがあるでしょう。もちろん、不当な行為をする例外は少なからずあったでしょう。しかし、圧倒的大多数の日本人は、誰に命令されるわけでもなく、和を乱すようなことはしません。

私は、日本という長い歴史が生んだ最高傑作が、日本人であると思います。

共産主義やリベラリズムという実態のない観念的なものに対して、日本の伝統や文化は実体がしっかりとあるものです。決して観念的なものに止まりません。

「権力」と「権威」を分けつつ、公平で豊かな暮らしをする。それを持続可能とするのは、欧米や大陸の社会の様な、規則や法律といった社会の枠組みなどではなく、国民そのものです。

その国民を育むものが「伝統」と「文化」です。日本はそれを、諸外国から教わる必要はありません。私たちの祖先が、ずっとそれをやってきたのです。そのおかげで現代の私たちは、そのことが当たり前になってしまっているだけです。

共産主義にとって、その「伝統」と「文化」を破壊することが、革命の成就にとって重要です。フランクフルト学派の「批判理論」を得た現代の共産主義は「言葉が文化を作る」と考えます。

そのため、「言葉」を使って文化を破壊しようとします。現代の共産主義が『文化マルクス主義』とも呼ばれるのは、そのような理由からでしょう。

ですから、聞き慣れない新しい言葉がメディアに現れ出したら、要注意です。その言葉は、あらかじめグローバリストたちが用意した言葉であるということは、第3章の「ダボス会議（世界経済フォーラム）」のところで述べました。

CCPの人口置き換えという戦略

現在、多くの国で中国共産党（CCP）による侵略が進んでいます。

大国のイメージのあるアメリカも、今ではもうほとんど瀕死状態です。次にまた前回のような不正選挙があれば、内戦になりかねないでしょう。

中南米はもうずっと、中国の侵略に気がつけないままでした。チベット、東トルキスタン（ウイグル）、南モンゴルでの、中国人による言葉にするのも憚られるほどの残虐行為は今も続いています。香港はどうでしょう。台湾はどうでしょう。

日本と政治的に大きな関係のあるアメリカは元より、アメリカ大陸最大の要衝パナマ、そしてヨーロッパ全土においても、中国による侵略は見えないところで着々と進んでいます。見えざる侵略、サイレント・インベージョンです。

現在、チベットで生活している多くのチベット人と称する人々の中には、大多数の中国人が紛れ込んでいます。数で侵略し、実際にそこにいる人数がその国の人間より多くなれば、事実上その国を奪い取ることは可能になってしまうでしょう。

同じように、「移民」という形で、現在アメリカに大量の中国人が、パナマのダリエンギャップというジャングルを通り、メキシコ国境からアメリカへ不法侵入していることは、大きな社会問題となっています。

現在、米国内にいる中国人の実際の数は、おそらく正確には把握できていないでしょう。あまりにも多くの不法移民が、日々なだれ込んでいるからです。これは明確な戦略です。現代の戦争の戦法のひとつなのです。

米国特殊部隊グリーンベレーの元隊員でジャーナリストのマイケル・ヨン氏は、これを「weaponizing migrants ＝ weaponizing 武器として扱う＋ migrants 移民を」という考え方である、と説明しており、日本では、石垣島や沖縄本島など、浸透工作を行いやすい地域では簡単にできることである、と指摘しています。

数で蹂躙し、『いつの間にかその国の人口を中国人に置き換えてしまう』という戦略は、多数決を良しとする民主主義では、逆に恐ろしいことではないでしょうか。

表面的な「自由」や「平等」といった言葉を用いて世論を誘導すれば、ＢＬＭやＬＧＢＴ推進運動まではいかなくとも、なんらかの同調圧力を生み出すことくらいは容易でしょう。

ですから、日本も気をつけなければなりません。現に年を追うごとに日本の崩壊は進んでいます。なぜなら、ほとんどの日本人がそのような事実を知らないからです。あるいは知っても、自分には関係ない、と重く受け止めないからです。それでは、戦う前に自壊しているのと同じことです。

日本の土地が大量に買われ、特に『自衛隊の基地の近く』や『皇居周辺の土地』が買われていることを、ご存知でしょうか。

日本のメディアや企業のスポンサーのほとんどが、中国関連企業や組織であるため、テレビをはじめ忖度した各種メディアが、情報の統制や改ざんを積極的に行っています。そのため、日本でこのような事実が報道されることは、ほとんどありません。

人口比率で言えば、ほとんどいないはずの中国人や韓国人のために、電車内などの駅名の表示などに中国語や韓国語が表示されるのはなぜでしょうか。

そのような他国の言語が、街中の標識にまで表記されている国は、日本くらいではないでしょうか。諸外国ではまず聞いたことがありません。それを「おもてなし」の心である、などと考える人もいるのかもしれませんが、これをお読みの読者はどう思われるでしょうか。

現在日本にいる移民（在留外国人）は、令和３年末時点で約２７６万人といわれており、これは短期滞在者は含まず、さらに国籍等が判明している人たちのみの数字です。なお、留学生等もこの在留外国人に含まれます。

そのうち、26％以上の約71万６６００人が中国人で、国別では最も多く、その後に、２位ベトナム人、３位韓国人、４位フィリピン人、５位ブラジル人と続きます。

近年、世界中21の国、25の都市に、中国（福建省）の警察の交番が30箇所以上も作られています。

日本の交番のような外観で街中に堂々と建っているのではなく、ビルの一室などに、交番の役目を持った組織が作られています。

具体的には、旅券の延長や、中国人の関与した犯罪等に対し、その取り締まりを行うなど、本来ならば、領事館や公的機関にしか許されていないはずのことを、勝手に他国でやっているのです。

これは一面、治安のことなどから考えると良さそうに思えますが、中国国外に住んでいる、例えば「法輪功（ほうりんこう）」のような方々や、CCP（中国共産党）に対して批判的な人物のあぶり出しにつながり、実際、法輪功関係者などがストーキングされて、密告されたりするケースが出ています。

建前上、外国に住む中国人の犯罪を取り締まるため、とされていますが、実際は、CCPにとって都合の悪い民主活動家等の特定のためであることは明白であり、実家の親や親族を人質にされたりというのが、よくあるCCPのやり方です。

元警察官であり、中国人の犯罪や移民問題に詳しい坂東忠信氏によると、今後、これが日本人の取り締まりなどもするようになるだろう、と危惧しており、そのためには「スパイ防止法」の制定と「外国人による土地買収の禁止」を急ぐ必要があると警鐘を鳴らしています。

ＣＣＰの様な共産主義勢力にとって、民主活動家は明確な邪魔者です。そのような人物は、自宅の特定や、行きつけのお店や趣味嗜好、異性の好みまで、調べられていてもおかしくないということです。ＣＣＰによるハニートラップなどの手口は非常に有名であり、実際に日本人の政治家で弱みを握られている人は、既に相当数いると言われています。

これが進めば、当然、政治家だけでなく、政治家や政党をとりまく人々にまで、その対象が広がっていくだろうことは想像に難くなく、関係者も気をつける必要があります。

坂東氏によると、これに対して、中国人の犯罪などがあった場合に、中国組織が介入してくるより先に、地元の警察や公的機関がすばやく動く様にすることが大事だとのことです。

それがそういった組織に対する圧力となるからであり、「スパイ防止法」のない日本の現状では、それくらいしかできないということでもあります。そして、先進国で「スパイ防止法」が制定されていないのは、おそらく日本だけではないかと言われています。海外ではスパイ行為は死刑に当たる国もあります。どうして日本では未だにそれを作ることができないのでしょうか。

また、近年欧米において日本の家電製品等の信頼が落ちてきています。その理由は、企業の生産拠点を賃金の安い中国に移した結果、純粋な「メイド・イン・ジャパン」製品ではなく、「メイド・イン・ジャパン・バイ・チャイニーズ（中国人の作ったメイド・イン・ジャパン）」製品になってしまったことが大きいと言われています。

このようなことは、中国の浸透工作というよりはその副次的な面であるかもしれませんが、日本人の意識の低さを表すよい例であると言えるでしょう。

孔子学院

『〈早大など「孔子学院」設置　国内13大学で確認　政府答弁書〉
２０２３年5月12日、政府は閣議決定した答弁書で、早稲田大や立命館大など国内の少なくとも13大学に、中国政府による中国語や自国文化の普及を目的とした教育機関「孔子学院」設置が確認されていると明らかにした。参政党の神谷宗幣参院議員の質問主意書に答えた。欧米では中国政府が孔子学院を情報収集やプロパガンダ（政治宣伝）の拠点にしているとの懸念が強く、閉鎖などの動きが広がっている。日本で設置が確認されたのは他に、愛知大、桜美林大、大阪産業大、岡山商科大、関西外国語大、札幌大、福山大、北陸大、武蔵野大、山梨学院大、立命館アジア太平洋大。答弁書は「孔子学院を設置する学校法人から公開される情報などを踏まえ、法令違反が認められる場合には適切に対処したい」と指摘した。』（２０２３年5月12日や5月13日付で、時事通信や読売新聞などが報道）

ジャーナリストの我那覇真子氏による現地取材によると、アメリカや中米で設立された「孔子学院」を起点に、現地での土地や建物の買収、及び浸透工作が行われていることが確認できます。

中米のパナマでは、商業施設やスーパー、アパートなどの不動産を買い占めたり、農地や土地の権利を買い取ったり、事実上の侵略行為が堂々となされています。

米国ロサンゼルスのダウンタウンなどでも、街のいたるところに当たり前の様にCCPのプロパガンダ・ポスターなどが貼られていたりします。中国人に占拠され中国式の装飾を施された通りや、石像までが建てられ、以前のロサンゼルスとは随分雰囲気が変わってしまっており、まるで中国の様です。日本の状況も注視していく必要があります。

実際に、東京の足立区竹の塚にも、チャイナタウンがいつの間にかできていることを、5月18日の街頭演説にて、現参議院議員の神谷宗幣氏も言及されており、日本人が世界でも突出した情報弱者であることに、警鐘を鳴らしています。その約一ヶ月前の4月26日に、神谷氏は「我が国に設置された孔子学院に関する質問主意書」を、国会に提出されています。

なお2021年米国上院では、孔子学院を規制する「孔子学院法案」が全会一致で可決しています。

中国の国防動員法

中国における「国家動員法」である『国防動員法』は、２０１０年２月26日に公布され、7月1日に施行されました。

『国防動員法』の第49条では、「満18歳から満60歳までの男性公民及び満18歳から満55歳までの女性公民は、国防勤務を担わなければならない」としています。

外国在住の中国人も対象であり、日本にいる中国人企業経営者の多くが予備役（一般社会で生活している軍隊在籍者で、有事の際は軍隊に戻る者。日本の自衛隊でいう予備自衛官にあたる）出身者であるとみられるため、仮に日中間で軍事的対立が起きた場合には、日本国内にある中国資本系企業の事務所や建物はすべて、中国軍の拠点に変わる可能性があります。そしてその際には、日本国内にいる膨大な数の中国人がすべて、国防勤務（中国軍兵士、スパイなど）となる可能性があります。

そしてそれは、前述した日本国内の中国人、約71万６６００人を47都道府県で割ると、単純計算で、各都道府県におよそ1万5250人の工作員がいることになります。

実際には、東京や大阪、名古屋などの都市部に偏重しているとは思いますが、それにしても、大変な数です。

さらに注目すべきは、第5条にある「公民及び組織は、平時には、法により国防動員準備業務を完遂しなければならない」としているところです。

要するに、「有事でなくとも、日頃からその時のための準備をしておけ」ということでしょう。


2011年、東京都港区麻布で、国家公務員共済組合連合会が所有していた5677㎡もの土地が一般競争入札にかけられ、中国大使館が60億円で落札しました。

また、2010年8月13日には、中国総領事館が、小学校跡地15000㎡を新潟市に申し入れました。当初は、新潟市長も地元商店街も、経済活性化を期待して積極的に中国総領事館誘致を進めてきた経緯もあり、跡地売却に前向きでしたが、中国漁船事件を境に、新潟市でも反対運動が活発になり、2011年3月22日、新潟市議会が反対請願を採択し、新潟市は中国総領事館に売却断念を伝えました。

高市早苗大臣は、２０２１年3月と5月に、自身のホームページ内コラムにて、このことについて触れており、「何れのケースも、顕在化したのは中国で『国防動員法』が公布された２０１０年2月より後のことでした。私は、中国政府が日本国内での大規模土地取得を強力に推進し始めたのは「平時からの国防動員準備業務」の一環なのではないかという疑念を抱きました。」と語っています。

さらに中国には、２０１７年6月28日に施行された『国家情報法』というものも、存在します。

国家の安全・利益の擁護を目的として、「国家情報工作」に関して法的根拠を与え、工作機関や工作員の権限、一般の組織や市民に対する工作活動への協力についても定めています。

そして『国家情報法』の第7条と第14条では、「組織・市民による工作活動への協力」を規定しています。

第7条：「いかなる組織及び公民も、国家情報工作を法に基づき支持、協助、協力し、知り得た国家情報工作の秘密を守らなければならない。国家は、国家情報工作を支持、協助、協力した個人と組織に対して、保護を与える」

第14条：「国家情報工作機構が法に基づき展開する情報工作は、関係機関、組織及び公民に必要な支持、協助、協力を提供するよう要求することができる」

などとしており、実際には、中国共産党に実家の親などを人質にとられた状態で、このような強要をされることから、これは実質、すべての中国人が工作員になりうるということを示唆しています。

この『国家情報法』の第7条と第14条の「組織・市民による工作活動への協力義務」は、『国防動員法』と並び、非常に警戒すべき点です。

また、『国家情報法』第2条で「政権」「統一」「領土の一体性」を国家情報工作の法的根拠に挙げていることから、長年に渡り、中国による強制労働、大量虐殺、拷問、人身売買及び、臓器売買が横行している新疆ウイグル自治区（正式名称は東トルキスタン）、チベット、南モンゴルでの住民の言動はもちろん、香港や台湾でも、そのような民間企業や個人による諜報活動の対象となっているであろうことは明らかです。（※以上、高市早苗大臣のホームページより部分的に引用）

これらの様な工作の目的は、他国への侵略、および乗っ取りにあります。その為に、留学生や労働者という名目で、合法的に堂々と日本国内に工作員を送り込んでいるのです。もちろん真面目に留学しに来ている学生や、社会人もいるはずですが、これまで述べてきた様な問題に対し、あまりにも無防備なのが日本の現状です。

表面化した頃には、時すでに遅し、です。

その様に、人々の気づかないところで密かに進められるのが、『サイレント・インベージョン（静かなる侵略・見えざる侵略）』です。

気づかぬ間に、『人口の置き換え』を進めていくのです。
そうして、いつの間にか、その地域に多くの中国人が当たり前の様に暮らしているのです。当然、帰化をしたり、日本人と結婚したりして、2世、3世と、その国にさらに深く、根を張っていくのです。

他国の乗っ取りには、20年計画、30年計画、50年計画といったスパンで、計画が立てられています。そうすることで、ゆっくりと着実に、浸透させていくのです。

20年もあれば、その地で生まれた子供は成人します。
当然、日本語に堪能であり、永住権を持ち、かつ、幼い頃から反日教育と共産主義を徹底的に叩き込まれているため、最高の工作員へと育っています。
これが、現代の戦争のやり方のひとつであり、戦闘機や弾薬を使うことなく、内側からじわじわとウイルスの様に侵略していく、共産主義の手口です。

近年、日本でも街中や電車の中など、中国語を話す人を以前よりも頻繁に見かけます。

ある土地が中国人に買われたとか、建物が中国人の所有に変わったといった類の話も、度々耳にする様になりました。

アメリカや中南米をはじめ、アフリカ諸国などでも進む中国による侵略は、中央の都市部だけでなく、地方の自治体から少しづつ、内側の中枢へと侵食していくケースもあります。

ウイグル（東トルキスタン）やチベットは、土地を奪われ、文化を奪われ、生活を破壊され、国が乗っ取られてしまいました。

既に述べた通り、現在ウイグル（東トルキスタン）やチベットに暮らす、ウイグル人やチベット人と名乗る人々の中には、実際には多くの中国人が紛れているといわれています。中国人が彼らの土地を奪って、ウイグル人やチベット人と称しているのです。中国人が日本人と名乗り、日本列島に暮らす時代が来る可能性があるのです。それが実際に、ウイグルやチベットで起きたことなのです。

もちろん、善良な中国人もたくさんいます。しかし、潜在的にこれまで書いてきたようなことを孕んでいるということは、日本人として知っておかなければなりません。それはもちろん、その個人の問題ではないかもしれません。しかし悲しいことに、中国という国は、中国共産党（ＣＣＰ）は、その善良な中国人をも利用しようとするのです。

お金のために起こされる戦争

中国４０００年の歴史などとよく言われますが、実際に現在の中華人民共和国ができたのは、１９４９年です。

歴史的にも国を征服する民族が何度も変わっています。現在の中国の国家樹立は、アメリカの共産主義者たちが中国共産党を支援することで実現しました。冷戦の相手として作り上げたソ連を、アメリカに対抗し得る強国とするために、中国というソ連の衛星国を作る目的でした。

ソ連を中心とした共産主義勢力の脅威を創出し、軍拡を推進して軍産複合体の利益を確保しつつ、アメリカを疲弊させることが狙いであったと言われています。

戦争は宗教戦争や侵略戦争、思想、人種、政治、経済など、様々な理由から起こされると思いますが、お金儲けのために起こされる戦争があるのも事実です。

戦争は地球上で最も儲かるビジネスです。

軍需産業だけでなく、戦争の際に頻繁に行われるのが人身売買です。

混乱に乗じて人々を拉致し、売り飛ばすのです。

目的は主に奴隷や臓器売買です。特に幼い子供や若い男女は性的な奴隷として売買されます。

臓器売買の場合は、健全な子供一人につき、全身でだいたい３０００万円ほどになるとも言われており、実際に人身売買の実態を訴え、活動を行っている団体もあります。

また、日米戦争にも、フランクリン・デラノ・ルーズベルトが自身の「ニューディール政策」による経済的大失敗を、戦争で補塡しようとした一面がありました。アメリカの南北戦争の際には、ロスチャイルド家やモルガンなど、多くの金融家が南北双方に出資したと言われています。ロスチャイルド家はその後アメリカ政府に対し、戦債の支払いを金（ゴールド）で支払うことを要求し、リンカーン大統領に拒否されています。ロスチャイルド家が金（ゴールド）に固執したのは、金本位制を見越してのことであったと言われています。

前述の、第一次世界大戦を米国の黒人部隊（通称ハーレム・ヘルファイターズ）を率いて戦ったハミルトン・フィッシュは、自著「ルーズベルトの開戦責任」の中で、次のように述べています。

『ソビエトロシアとスターリンはすさまじい勢いでヒトラーを追い払い、自らがヒトラーに成り代わったのである。しかしロシアはドイツよりも大国である。これらの国にいた共産主義者の売国奴がヒトラーのやり方と同様な手法をもって共産化を進めた。多くの人々はヒトラーを倒すためにはやむを得ない戦争だと思い込んだ。しかしその結果はヒトラーよりも始末の悪い「共産主義」という独裁体制を生んだだけの戦いだったのである。』

『わが国の最悪の過ちが、赤い中国を生み、朝鮮、台湾、ベトナムでの緊張を惹起（じゃっき）（※筆者注：問題などをひき起こすの意）してしまったのである。～中略～中国を共産化させてしまったことは犯罪行為にも等しい。共産中国は世界中に暴力革命を引き起こそうと躍起になっている。』

現代は情報戦という戦時下にあります。

そして中国共産党による全世界的な侵略が同時に進行しています。

グローバリズムは、国際金融資本と共産主義の顔を持ち、企業社会主義による世界秩序の構築を完成させようとしています。

「金融」、「メディア＝情報＝言葉」、「司法」をコントロールすることで、人々の意識までもコントロールします。それらの構造に気がついた人々が、本当に少しずつですが増え始めています。

私は当初、トランプ元大統領に対して、非常に悪い印象を持っていました。しかし、トランプ氏に関する報道は、どのテレビ局も、どの新聞社も、どんなニュースやワイドショーを見ても、同じことを同じ視点から語っているのでした。

そのことに次第に違和感を感じ始めた私は、独自に調べ始めました。そのことは後の章で詳述します。

日本国内の言論人やジャーナリストや政治家はもちろん、海外のメディアや情報発信者たちは何をどう報じているのか、調べ始めたのです。すると、すぐに日本の報道が異常なほど偏っており、重要なことであればあるほど、ほぼ何も報道されていないことに気がついたのでした。いわゆる右や左、あるいは保守やリベラルといったことに関わらず、様々な機関、様々な立場の人々の書籍や動画、ブログの類やメルマガなどなど、はじめは大統領選に関することから、次第に関心は波及的にあらゆる事柄に広がっていきました。

国際情勢や政治、歴史、食や健康に関する問題、環境問題などの通説、移民問題、人身売買ビジネス、、、調べれば調べるほど、独特な疲弊感を覚えるものばかりでした。

そうして確信したことは、現代は「情報」という「武器」を使った戦時下にあるということでした。「例え」で言っているのではなく、文字通りの戦時下です。

初めの頃は、少し大げさな言い方かもしれない、と思っていましたが、今では決して大げさではないと思っています。

「情報」は「メディア」であり「言葉」であるとも言えます。

ですから、どんな戦略も作戦を成功させるためには、人々がメディアを信用してくれなければうまくいきません。そのためには、徹底的にそして時間をかけて確実に、人々の意識に刷り込んでいくのです。

1年や2年ではなく、侵略革命のプランは、20年や30年、あるいは50年といった期間を見越して立てられます。

人々がその構造に気がつくことがなければ、あとは簡単に侵略し乗っ取ることができます。いまそれが具体的に進行しているということは、既に述べてきました。

まずは、そういう構造に気がつくことです。

アメリカやパナマやヨーロッパ諸国で、移民問題や文化破壊による混乱が起こっている現状を、自ら調べて見てください。食の安全が脅かされている事実を、それらが様々な病気を生み出す原因になっていることを、僭越ながら、まずはこの本の巻末にある参考図書一覧などを手掛かりに調べていただけたらと思います。人も本も、縁がなければ出会うことすら難しいと思います。ですから、この本に出会ったのも何かの縁である、と思っていただけたらありがたく存じます。

大手メディアに出てくる専門家や医者と称する人々の情報を、ただただ鵜呑みにすることはお勧めできません。メディアはポジション・トークだからです。そしてあまり好ましい言い方ではないかもしれませんが、「御用学者」という存在も確かにいるのです。

グローバリストの最も恐れるのは、人々のコントロールができなくなることです。

それゆえに、自ら食料を自給する人々や、独自に情報収集をしてメディアの情報を鵜呑みにしない人々を、最も嫌うのです。

そういう人々が社会的に発言力を失うよう仕向けるために、やはり「陰謀論」や「都市伝説」という「言葉」を意図的に利用します。

いずれにせよ、日本がどんどんおかしな方向へ行っていることは、明らかでしょう。「伝統と文化の破壊」という見えざる侵略が、もう隠せないレベルにまで来ているからです。それどころか、一部の動きは、最早隠そうともしていません。世界中で、その国や地域や民族固有の「伝統や文化」が破壊され、地球上から消え去ろうとしています。一度消えたら、元通りに戻すことは難しいでしょうし、時間とともに忘れ去られてしまうものもあるでしょう。それぞれに固有の「伝統や文化」といった個性があると、『人々を均一化して管理したい』勢力にとっては、邪魔なのです。

英語で調べる必要がありますが、アメリカやEUで起こっていることを冷静に調べて行けば分かります。世界が狂い出しているどころか、すでに大部分が狂っていたのだと気がついた人々が、世界中で声を挙げ始めています。そんなのは陰謀論だ、と言いたい人々は、まさにこういう話を陰謀論だと言いたいのかもしれませんが、その気がついた人々の数は、アメリカではすでに半数以上と言われています。残念ながら日本はまだ、1～2%と言われています。それでも世界全体としては少しずつ増えています。

コミンテルンと太平洋問題調査会（ＩＰＲ）

１９１９年3月に、モスクワに本部を置いたコミンテルン（共産主義インターナショナル）は、各国の共産主義活動を監督・指揮し、世界の共産化を目指す組織です。アジアを共産化することを重視したコミンテルンは当時、日清・日露戦争に勝利した日本への工作活動を活発化させていきます。１９２０年、コミンテルン極東書記局がシベリアに設置され、その指導の下、１９２１年に中国共産党、１９２２年に日本共産党が結成されました。

そのような流れの中、１９２５年、ホノルル会議（第一回太平洋会議）を開催し、太平洋問題調査会（ＩＰＲ：Institute of Pacific Relations）という民間国際組織が設立されます。もともとハワイにある排日移民問題による、日米間の感情悪化の緩和目的があった国際的非政府組織をルーツに持つこの組織は、ホノルルに置かれた本部機能の国際事務局および中央理事会、そして各国支部から構成されます。ほぼ2年おきに「太平洋会議」と呼ばれる国際会議が欧米やアジアで開かれ、各国政府が注目する「世界三代会議」の一つと言われるようになります。

民間版国際連盟とも言われていたＩＰＲに、各国政府は国際的な世論コントロールを期待します。そのため、各国支部を通じて財政支援をしました。

ＩＰＲ最大の支部アメリカＩＰＲは、ロックフェラー財団から莫大な拠出を受けながら、その指示の下、政治問題を積極的に取り上げます。次第にＩＰＲの最高幹部は、ロックフェラー財団の理事を含むアメリカの東部知識人が中核となっていきます。

１９２８年、コミンテルンはモスクワで第六回大会を開催し、各国で自国政府の敗北を促して内乱を起こさせ、その混乱に乗じてプロレタリア革命をめざす「敗戦革命」路線を提示します。この時期に、ＩＰＲの主導権はハワイからアメリカＩＰＲへと移っていきます。

１９３３年、ロックフェラーに近かったエドワード・カーターが第二代国際事務局長（事務総長）に就任します。

彼はＩＰＲ創設メンバーになって以来、長らくアメリカＩＰＲ幹事を務めていました。

カーターの下でＩＰＲは、日本を抑止する政治団体に性格を変えます。

本部機能の国際事務局も、ハワイからニューヨークのロックフェラー財団と同じビルに移ります。そうして国際共産主義者たちの革命の策源地も、上海からＩＰＲの中心地となったニューヨークへ移ります。

ルーズベルトは、対日政策の情報収集源として、日本に宥和的であったグルー駐日大使とは別に、カーターによる情報を重視しました。

一方で、アジア情勢に関心を持つヨーロッパ各国にとっては、カーター率いるＩＰＲは、アジアに関してアメリカ政府や世論へと通じる、重要な意味を持つルートでした。カーターは、ＩＰＲのネットワークをフランスやオランダなどのアジア太平洋に植民地を持つヨーロッパ各国に拡大し、ソビエトやインドにまで拡大します。

カーターの下で一気にソビエト寄りとなったＩＰＲは、ソビエトに通じた国際共産主義者らを大勢取り込み、国際共産主義者たちにとって重要な根城となりました。カーターの訪ソの際には、アメリカ大使を超える待遇で歓待されたと言われています。

ＩＰＲの主要な共産主義メンバーの一人トーマス・ビッソンは、後にＧＨＱ民政局に入り、徹底的な日本の「民主化」を企て、憲法改正や財閥解体、農地改革の推進などに関わりました。ちなみに、ビッソンはのちに、コミンテルンのアメリカにおける枢要メンバーであり、ソビエト軍のスパイであったことが判明します。また、ＩＰＲは戦時中、反日宣伝映画の製作やアメリカ軍将校に対し反日教育を行いました。なお、ＩＰＲは１９６１年に解散、日本ＩＰＲはそれに先立つ、１９５９年に解散しています。

なぜＩＰＲの話をしたかというと、近衛政権をはじめ当時の日本の首脳部や軍部などの内部には、ＩＰＲの影響を受けていた人々が一定数いたと思われるからです。また、『戦後に形成されたと思われている日本の自虐史観は、戦後ではなく、すでに太平洋問題調査会（ＩＰＲ）の影響で「戦中」から醸成されていったものである』といえる点です。

各国は国際世論コントロールの機能に期待して、各国支部を通じてＩＰＲに財政支援をしたと書きましたが、日本からは外務省だけでなく、南満洲鉄道株式会社も資金援助をしました。そうして次第に、各国支部の理事には著名な政治家や知識人が就任していきました。

日本支部に当たる日本太平洋問題調査会（日本ＩＰＲ）には、渋沢栄一や井上準之助

（日銀総裁）、新渡戸稲造などが名を連ねています。

　新渡戸稲造は、東京帝国大学を卒業後、アメリカやドイツの大学で学び、国際連盟専務次長として国際的に活躍したのち、１９２９年に日本ＩＰＲ理事長に就任します。新渡戸は、日本の満州進出について、国際社会で理解を得ることの必要性を認識していました。さらに、支那（中国）にいるアメリカ人宣教師や在米支那人の反日宣伝工作に対抗するために、ＩＰＲの活動を重要視しました。

　また、各国にいる民間の知識人が、国益を離れて客観的な立場から「真理」を見つめ直すことによって、国際社会に公平な世論が形成されることを期待しました。新渡戸はあくまでも、ＩＰＲが国際平和の実現に貢献できる組織であると信じていました。また、そのような役割を持つ組織になると期待していたのです。

　新渡戸は国際連盟時代に「国際知的協力委員会」という機関の設立に大きく貢献していました。国際連盟の下につくられたこの組織は、著名な知識人が交流を持つことで「真理」の探求を通し人類の永久的平和を確立しようとする試みであったといわれています。その中には、アインシュタイン、キュリー夫人、アンリ・ベルグソン、日本からはローマ字学会を作った田中館愛橘（たなかだてあいきつ）などがいました。この「知的協力委員会」は後に国連の「ユネスコ」となります。ちなみに、ユネスコの初代事務局長は国際主義者（マルクス主義者）として知られるイギリス人ジュリアン・ハクスレーが務めました。イギリス優生学協会の著名なメンバーでもあった彼は、「トランスヒューマニズム」という用語の生みの親でもありました。

また、日本の近代化の父として知られる渋沢栄一が、日米衝突を回避しようと晩年に奔走していたことはあまり語られていません。1924年5月26日、米国で日系人差別の象徴の一つと言える「排日移民法」が署名されました。ちなみに署名した当時のクーリッジ大統領はこれに反対の立場でした。歴史的に日系人差別で有名なカリフォルニア州の排日運動に押された形でした。クーリッジの危惧した通り、日米関係はこの日を境に悪化していきます。日本は、前年の1923年に関東大震災があったばかりでした。日米関係委員会の設立や日米実業団の相互訪問など、両国親善の民間外交に尽力していた渋沢は、当時既に80代半ばでした。しかし大の日本嫌いだった当時の米国国務長官ヘンリー・スティムソンをはじめ、大きな力が日米衝突に向けてすでに動き出していました。1931年、渋沢は日米関係を憂えたまま亡くなったといわれています。

さて、日本の知識人に左翼的思考を持つ人が特に多いのは、これまで見てきたようなことが大きく関係していると言えると思います。複雑なのは、ほとんどの日本人は共産主義に対して少なからず負のイメージを持っているはずだし、自分は共産主義者ではないし、共産主義的あるいは左翼的な考えも持っていない、と思い込んでいることでしょう。実際、共産主義運動は目に見えてそれとわかるものばかりではありません。特に昨今蔓延っている「文化マルクス主義」はそうです。ですから、それを民主運動と勘違いした人は多いでしょうし、その戦略を知れば、納得がいくはずです。本書がその一助となれば、との思いで書き進めています。

共産主義的あるいは左翼的な考え方とは何か、それがまず分かりづらいうえ、現代は学校やメディアから刷り込まれるナラティブ（意図的な作り話。まやかしのストーリー）が、人々の思考の奥深くにまで浸透してしまっています。もちろん、ソビエトのスターリンが大虐殺をしたことや、中国共産党や習近平が数えきれないほどの恐ろしい行為を行ってきた（今も現に行なっている）ことはある程度知っているので、漠然とした「よくないイメージ」は持っているでしょう。

しかし、共産主義的思想はソビエトや中国経由でやってくるものばかりではありません。アメリカ経由で入ってくるものも非常に多いのです。現代ではそれが最も多いかもしれません。なぜならば、現代はアメリカの共産化が年々進んでいる時代だからです。そのような情報も分析も、日本のメディアにはほぼ皆無ですので、自ら調べない限り、国民がそのことを知る機会がほとんどありません。そのことを見落としている日本人が多いのではないでしょうか。例えば、BLMやLGBTQ+推進運動、SDGsやポリコレなど、これはどれも文化破壊であり、分断を生み出すものです。黒人を守るためといって行われたBLM運動によって、多数の黒人が亡くなったり、失業率が上がってしまったりするのは、どうしてでしょうか。LGBT運動に参加する人の多くが、LGBの当事者ではなく、T(トランスジェンダー)かもしくはLGBT活動家なのはなぜでしょう。ここまで読み進めてこられた方は、なんとなくもうお分かりのことと思います。

これまで書いてきた通り、アメリカだけでなく欧米といったほうがより正確でしょう。「国連」や「ダボス会議(世界経済フォーラム)」を通して世界中に撒き散らされるイデオロギー、ハリウッド映画やデ○○○ー・アニメなどが作品に忍び込ませるメッセージや特定のイメージ、有名人や著名人と呼ばれる人々の拡散する『印象』という刷り込み、あるいは意識誘導。そういったものすべてに対し冷静に分析する態度と、一定の距離を保つことが非常に大事です。

そのためには、ある種の理論武装として、より正確な情報と知識を得て、ナラティブ（意図的な作り話）ではなく史実を知り、そのうえで行動に移す（学んだことを実践する）。

僭越ながら、本書がそのような人を鼓舞するものとなれば幸甚の至りです。

第5章

Behind the Veil
（ヴェールの向こう側）

語られることのない歴史

戦後78年経っても今なお続く戦後レジーム

さて、本書でもすでに1、2度ほど登場した「戦後レジーム」という言葉。あらゆるところで耳にするこの言葉ですが、初めて聞いた方もいるかもしれません。

一言で言えば、これまで書いてきた様に「日本国民を奴隷化し、国を弱体化させる体制を、戦勝国（主にアメリカ）によって意図的に構築されてしまった状態」のことであり、それが終戦後、80年近く経った今もなお、日本では続いているのです。つまり、現在も日本は主権国家ではないということです。そして残念ながら、ほとんどの日本人がそのことに気づいていないという事実が、それを証明しています。

厳密に言えば、「戦後レジーム」とは、戦後、国際社会においても続いている体制のことです。国連をはじめとした、戦勝国による連合国側から見た秩序です。第二次世界大戦の戦勝国であるアメリカ、イギリス、ロシア、中国、フランスといった、国連の常任理事国は、恒久的にその地位と拒否権を持ちます。

戦後、日本では、日本人が自国とその文化や歴史に対し、罪悪感や劣等感を感じる様に意図的に仕向けられ、歴史教科書の改ざんや重要な書物の禁書・焚書などが、数え切れないほど連合軍によって強行されました。

その影響は、現在にも「近隣諸国条項」の様な形ではっきりと残っています。「近隣諸国条項」とは、簡潔に言うと、遺跡の発掘調査などにより歴史的に新たな発見があった場合、その内容が他国の人々（特に近隣諸国）にとって気分を害する可能性のある内容である場合、公表してはならない、とする法律です。「気分を害する可能性のある内容」とはつまり、日本が歴史的に優れていたと思われる内容や、日本の文化水準の高さが他国よりも優れていたということを、証明してしまう様な歴史的発見などのことです。

さて、戦後、多くの学者が公職を追放され、日本を代表する様々な文化的活動が縮小させられました。

例えば、日本人を強くする様なものは軍国主義的であるとして、空手や柔道、剣道などの武道は戦後GHQによって制限されました。占領初期において、武道は「非軍事化・民主化」政策の一環として、学校体育だけでなく、課外の運動部活動さえも禁止されたと言われています。中等学校の武道教員の免許も無効とされ、多くの方が退職を余儀なくされました。また、大日本武徳会が解散させられ、１２００人以上にのぼる役員が、公職追放の処分を受けたといわれています。

その様な戦後の動乱期において、教育界や文学、科学などの各分野にとてつもない影響を与えたのが、フランクフルト学派でした。先述の通り、「伝統と文化の破壊」が革命の第一歩であり、その具体的な方法が、ジェンダー（性）や人種や社会問題などを利用して「みんなに共通の問題」を作り出すことで、社会に分断や対立を生み出し、その解決策（救世主）として「共産主義」や「社会主義思想」を刷り込んでいく、という理論です。

戦後多くの知識人と呼ばれる人々が、その共産主義・マルクス主義思想に影響を受けました。

そこには、戦後の知識人たちが、左翼ユダヤ人の思想を、＝（イコール）西欧の思想、として理解してしまった背景もあると思います。

もちろんそれは錯覚であったのだと思いますが、当時、学問的に進んでいると思われていた西欧がそうであるのだから、そういうものなのだろう、と理解してしまったのかもしれません。

その様な傾向は、特に明治以降の日本に顕著であったのではないかと思われますが、フランクフルト学派の個人主義的思想は、国を持たないディアスポラ（離散者）として運命づけられたユダヤ人の思想であり、基本的に、彼らはどこへ行っても常に少数派である、ということが大きく関わっています。厳密に言えば現代のユダヤ人には、１９４８年に独立宣言をしたイスラエルがあります。しかしそこへ敢えて帰らずに、彼らの理屈の上での反権力反権威を掲げて運動を広げていく人々がいるのです。

ディアスポラ＝離散者としての思想とは、つまり日本人にとっては、必要なものでもなければ、文化的・歴史的に見ても日本の社会や日常生活に当てはまるものでもないのです。日本人は国を持っていますし、日本国内にいる限り、日本人はいつだって日本人という同一民族＝大多数の一部であり、常に多数派であるからです。つまり、日本人は「祖国がある」ということを、生まれながらに保障されている民族だからです。

さて、フランクフルト学派の思想の要にあるのが「批判理論」であるとすでに述べましたが、この理論が構造的に破綻しているのは、「問題そのものに原因があるのではなく、その問題を生み出したのはその周りにある社会である」という理屈です。

　具体的には、

「犯罪者が悪いのではなく、その様な犯罪を起こさせた社会が悪いのであって、その様な社会のあり方を否定・破壊し、新たな秩序を作るべきである」

という理屈です。それゆえに、そのためならば、暴力も肯定しているのが共産主義です。

田中英道教授は著書の中で、「戦後とは、つまり、「仕組まれた戦争の後の時代」ということです」と述べています。（『虚構の戦後レジーム』啓文社刊）

　フランクフルト学派は、フロイトの精神分析とマルクス主義を組み合わせ、人間とは基本的に不幸な存在であり、社会に異議を唱え続けることが人間の歴史である、という考えを知識人たちに植えつけました。

　その様な理論、語弊を恐れずにいえば、その様な屁理屈に立脚したフランクフルト学派の影響を受けて作られたのが、現在まで続く義務教育をはじめとした日本の「教育」なのです。

WGIP（ウォー・ギルト・インフォメーション・プログラム）=戦後の統治洗脳政策

通説によれば、日本は戦後、連合軍から『言論の自由』を与えられたことになっています。次章で詳しく触れますが、戦中・戦前の軍国主義の呪縛から解放され、日本国民は晴れて自由になったのだ、ということになっています。

日本占領中占領軍が行った検閲の実態を、できるだけ明らかにしたいと考えていた文芸評論家の江藤淳氏は、昭和54年（1979年）頃、アメリカのワシントンへ渡り、ウィルソン研究所とメリーランド大学付属マッケルディン図書館と、スートランドの合衆国国立公文書館分室に、数日置きに交互に通う日々を繰り返していました。

江藤氏は自著『閉された言語空間　占領軍の検閲と戦後日本』（文藝春秋）の中で、当時のCI&E（民間情報教育局）からG－2（CIS・Civil Intelligence Section・参謀第二部民間諜報局）に宛てて送られた文書を紹介しています。

その文書の表題は、「ウォー・ギルト・インフォメーション・プログラム」。

紹介されている冒頭はこうです。

《一、CIS局長と、CI&E局長、およびその代理者間の最近の会談にもとづき、民間情報教育局は、ここに同局が、日本人の心に国家の罪とその淵源に関する自覚を植えつける目的で、開始しかつこれまでに影響を及ぼして来た民間情報活動の概要を提出するものである。文書の末尾には勧告が添付されているが、この勧告は、同局が、「ウォー・ギルト・インフォメーション・プログラム」を、広島・長崎への原爆投下に対する日本人の態度と、東京裁判中に吹聴されている超国家主義的宣伝への、一連の対抗措置を含むものにまで拡大するに当って、採用されるべき基本的な理念、および一般的または特殊な種々の方法について述べている》

さらに、この文書は一般命令第4号(SCAP・昭和二十年〈一九四五〉十月二日)第二項〝a〟(3)にもとづいて「占領の初期においてCI&Eが、民間情報の分野で一連の『ウォー・ギルト』活動を開始」した事実を明らかにしている、とし、一般命令第四号の、この条項の文言は次の通りです。

《〝a〟　左の如く勧告する。（中略）
（３）　各層の日本人に、彼らの敗北と戦争に関する罪、現在および将来の日本の苦難と窮乏に対する軍国主義者の責任、連合国の軍事占領の理由と目的を、周知徹底せしめること》
（『閉された言語空間　占領軍の検閲と戦後日本』江藤淳　文藝春秋）

連合国、特にアメリカは、日本が再び強力な国家として復活するのを懸念していました。アメリカから見れば小さな島国である日本が、日清・日露戦争を経て、西洋列強と肩を並べることができた理由を、「強いナショナリズムと民族の団結力」と分析したアメリカは、その根幹には歴史と伝統、文化や慣習があるとし、それらを封建的で時代遅れの野蛮なものである、と徹底的に否定すること（フランクフルト学派、文化マルクス主義の戦略）により、「自由主義」や「個人主義」を日本に無理やり導入しました。
それは『やまとごころ』を破壊し、戦争犯罪という『原罪』を日本人の心に刻み込んだということです。

言い換えると、日本人としてのアイデンティティを破壊し、そこにできた精神的な空間に「リベラリズム」の種を植えつけた、ということです。

しかし、同じ敗戦国のドイツに対しては、そのような政策は行われていません。

アメリカが日本を恐れた最大の理由は、広島・長崎に投下した原爆です。「日本人に復讐されるかもしれない」という恐怖心です。

原爆投下の不当性を明確に述べたのが、第三一代米国大統領ハーバート・フーバーです。「原爆投下はアメリカ史上前代未聞の残虐行為であった。これはアメリカ人の良心を永遠に苛(さいな)むことになるだろう」とトルーマン大統領の投下決定を強く非難しています。残念ながらこの良心の呵責が、「日本に軍事力、特に核兵器を持たせてはならない」という政治的な恐怖感に転化している、といえるかもしれません。

キリスト教の考え方とは異なり、日本人には「原罪」という考え方はありませんでした。新渡戸稲造も自身の著書「武士道」でこう書いています。

『神道には「原罪」の観念はない。むしろ、人間の魂は生まれながらに善で、神のように純粋であると考えられている。』（『対訳 武士道』新渡戸稲造著、山本史郎訳 朝日新書）故に、日本人には感覚的に理解しづらいものです。しかしこの「原罪」という考え方は、大衆をコントロールするためには非常に有効なツールである、ということは歴史が証明しています。

それを現代に極端な形で利用されたものが、「白人は生まれながらに、黒人に対して差別をしてきた罪を背負っている」とする考え方であり、生涯黒人に対して贖罪の気持ちを持って生きていくべきである、とする様な極端な例です。これは、クリティカル・レース・セオリー（批判的人種理論）と呼ばれるものの一端であり、アメリカにおけるマルクス主義の主要理論の一つといわれています。お分かりの通り、もちろんこれも社会を分断するためのプロパガンダであり、つまりは政治利用されています。

さて、まともなアメリカ人であれば、原爆はどんなに正当化しようとしてもできるものではない、ということを知っています。そして、アメリカに対する日本の復讐に対する恐怖心があります。実際、国際法上は、日本は原爆投下に対し報復する当然の権利を持っています。残虐な手段を選ばなくとも、報復あるいはせめて、抗議はできたはずですし、なにより、今こそできるはずです。

もうひとつは、日本人を巨悪と設定しなければ、原爆投下の正当性が崩れ、アメリカ人の精神が崩壊してしまうかもしれない、ということです。フーバーは「原爆投下はアメリカが永遠に担う十字架になった」と書いていますが、原爆投下は日本人に対するホロコーストでした。それゆえ、彼らの理屈からすると、「日本人がそれに値するほどの悪者だったから――」ということにしないといけないのです。

故に、戦後の統治洗脳政策WGIPは、一つには原爆投下や無差別爆撃などの民間人大量殺戮などを行なった米国を正当化するためであり、もう一つは日本人に「原罪」を植え付け弱体化させるという、大きく分けて二つの意図があったのです。

見方にもよると思いますが、大東亜戦争においては、この『原爆』と前章で触れた『太平洋問題調査会（IPR）』の二つが、それぞれ最も大きな柱のひとつと言えるのではないでしょうか。

アメリカは戦勝国史観という、戦勝国側から見た一方的な価値観を日本人に植え付けたいのですが、WGIPは「War Guilt Information Program（ウォー・ギルト・インフォメーション・プログラム）」の頭文字であり、意訳すると「戦争についての罪意識を育むための計画」などと訳せると思います。

はっきりとさせておくために、もう一度書きますが、『米国の行った原爆や民間人への無差別爆撃＝無差別大量殺戮は、軍事行為ではなく、国際法違反』です。

それを日本人に言わせないためには、日本人が自らを貶める様に仕向ける必要があります。

それが「原罪意識」を植え付けることでした。そうすれば、半永久的に二度と楯突いてくることはなく、蒸し返されることもなく、それどころか自尊心を失った民族は著しく弱体化し、さらに食料や物資、軍事などあらゆる面で米国に依存させることによって、完全に日本人の牙を抜き、飼い慣らしたのです。

それはラジオや新聞、そして教科書や教育現場など、あらゆる方法で広められました。

そして恐ろしいのは、戦後80年近く経っても、そのことに日本人が全く気づけないでいるという事実です。そこまで完璧に一民族を洗脳できるとは、占領側も思っていなかったのではないでしょうか。

まことに悔しいことですが、それが現在の我々日本人なのです。

日本人が自らを否定する様に誘導するには、アメリカ人だけでなく、「日本人による日本人の言論空間の検閲」も必要になります。ＧＨＱはそのための日本人検閲官を大量に使いました。

植民地統治の基本「分割統治」の方法です。

戦中戦後の検閲に関しては後に詳しく取り上げますが、当時検閲に当たったのは英語のできる高学歴の日本人でした。日本人検閲官は、自らの行為を正当化するためにも「日本は侵略者であった」と自ずから自虐史観を持つようになります。検閲される側も、生活のためには検閲の方針に沿うように書き方を変えていきます。やがて検閲官に忖度するようになり、状況が状況なので言い方は適切ではないかもしれませんが、両者はある種の共犯関係へと発展していきます。

教育者や学者、有識者と呼ばれる人々やメディアが、なぜ自国を貶めるようなことをするのか、現代にも通じる話ではないかと思います。

なお、サンフランシスコ講和条約（１９５１年）締結後、検閲官は廃止されましたが、彼らの多くはその過去を隠して、官界、経済界、教育界など各界における指導的立場に就いたといわれています。（「日本を蝕む 新・共産主義」馬渕睦夫 徳間書店）

連合国軍による占領の影響は「食」にまで及びます。戦前にはほとんどなかった牛乳や乳製品の供給量は、戦後短い期間に一気に１００倍ほどにまで増えたといわれています。肉類は20倍ほどです。

そしてお米の供給量は現在、１００年前の半分ほどにまで落ちてしまいました。伝統的な日本食が失われていくとともに、その結果あらゆる病気、特に「がん」が先進国の中で日本で顕著に増えていったということは、第1章でも述べた通りです。そしてここで付け加えておきたいのは、「うつ」や「自殺」が異常に多いということも、忘れてはいけないことです。添加物や農薬には、一種の神経毒が含まれているものも多く、それらが日本人の心に影響を及ぼしているであろうことは、容易に想像できることです。

戦後の食糧難を解消するため、という人道支援的側面もあったとされていますが、当時日本に入ってきた食料の大半は、アメリカでは破棄寸前のような品質の悪いものであったり、後の日本への小麦や乳製品や肉類などの対日貿易を見ても明らかなように、主な目的は戦後の市場を開拓するための「投資」であったのです。なお、そこにはロックフェラーなど国際金融資本の援助もあったという見解があるのも、説得力のあるものだと私は思います。(第1章参照)

確かにある程度はそのおかげで食糧難が凌げた、という見方もあると思います。本当に焼け野原だったのですから。しかしそれは同時に、アメリカが『民間人への攻撃＝無差別大量殺戮』という『国際法違反』を犯した結果であり、『その罪に目を向けさせないためでもある』という点を見逃してはいけません。

なお、伊勢神宮や京都、奈良といった、日本の文化的・歴史的重要物の集まる場所は無傷でした。また、アメリカ国内の大半と戦勝国のほとんどが、天皇に戦争責任を背負わせようとした中、最終的にアメリカは天皇を残しています。その裏には「ＯＳＳ計画」という他国にも知らせていない計画が、予めあったからだとも言われています。二段階革命の遂行には、いったんは天皇を残し、いずれ民衆の中から批判が湧き出て、日本国民自ら内部抗争を起こさせるために重要であったから、だと言われています。もしそうだとするならば、どこまでも計画されていた戦争と戦後だったのかと、色々な意味で考えさせられます。

戦国の世から鎖国に至った流れ

本書は「食の安全」をメイン・テーマのひとつとしています。そして我々現代の日本人が、真の意味での「食の安全」を確立するには、現代は情報戦の時代である、ということを理解する必要がありました。そして誰が、なぜ「情報（＝メディア）」を操作しているのかを知るには、我々は知らず知らずのうちに「グローバリズム」という大きな潮流の中にいる、という事実を認識することが重要でした。

これを書いている現在、私はその「グローバリズム」のはじまりが「大航海時代」であったと考えています。

スペイン・ポルトガルにより始まり、オランダ・イギリスがそれに続き、ヨーロッパ諸国がさらに続きます。彼らはアフリカで奴隷貿易を始め、南米等で数々の民族を滅ぼし、土地や資源を奪い、やがて日本へとやって来ました。私は、彼らの奴隷貿易の流れの一環として、「貿易とキリスト教の宣教」と言う名の「日本侵略」が行われたのだと思います。

以下に記述する内容は、キリスト教や西洋に対する一般的なイメージを、大きく変えてしまうかもしれません。言うまでもなく、これはキリスト教や西洋全般を批判する意図のものではありません。立派なキリスト教徒もたくさんいます。特に、真のキリスト者の持つ福祉・奉仕の精神は、素晴らしいものです。しかし、このような研究があるということを、我々日本人は知っておくべきだとの思いで、重い筆を進めます。

さて、私がここで特に重要だと思うのは、大航海時代に日本は戦国期に突入し、そこからいかにして鎖国へと至ったか、という一連の流れです。

義務教育において私たちは、日本が鎖国へ至った経緯について、ほとんど詳細には教わりません。

第二章でも触れましたが、同じ様に、どのようにして日本が日米戦争へと進んでいったのかも、義務教育でちゃんと教わりません。おそらく高校や大学で教わる内容も、この本に書いたような内容とは違うのではないでしょうか。

初代将軍・家康と第二代将軍・秀忠（家康の三男）の大業を受け継ぎ、国家を守るための大英断をした第三代将軍・家光（秀忠の次男）によって完成された鎖国（※鎖国は五回にわたって段階的に進められた）。その背後には、ポルトガルとスペインによる残虐な歴史がありました。西洋は大航海時代、そして日本の南蛮貿易です。ポルトガルやスペインが日本へ宣教師を送り込み、貿易の傍、強引な布教を進めていた折、日本とオランダの貿易も始まります。読者の皆さんは、ポルトガル、スペイン、オランダ、この三つの国の、当時の立場の違いを簡潔に言えるでしょうか。

そして、大英帝国の虐殺の歴史と野望、アヘンでの大儲けと日本への侵略。

やがて日本は、幕府側と薩長土佐側とに割れ、維新の志士と呼ばれた人々と英米の富豪たちとの関係は、未だ語られないままです。海援隊という私設海軍でおよそ六〇名の無職の男達を養いながら、幕末の日本を闊歩した坂本龍馬の、その活動資金はいったいどこから得たものなのでしょうか。土佐の田舎の下級武士である龍馬が、トーマス・グラバーから現代の価値にしておよそ五〇億円とも言われる鉄砲や軍艦を買ったそのお金は、どこから調達したのでしょうか。それらも未だ語られないままです。そうして明治の「文明開化」「脱亜入欧」「富国強兵」といった言葉が、いったい何を意味していたのか、現代の私たち日本人はよく考えなくてはなりません。

そしてその後のアメリカによる占領の影響と、洗脳工作による精神の薄弱化は、現代になっても薄れるどころかますます深まっています。

これら大航海時代から日本の鎖国を経て明治維新へと至る歴史。その後の、立て続けに戦争の時代へと入っていった以降の日本の近代と呼ばれる時代は、『日本が日本を失っていく時代の末期』にあたると言えるかもしれません。

ここからは、そのひとつの源流と言える大航海時代と、日本が戦国から鎖国へと至った流れ、これを軸に書いていこうと思います。

歴史はどこかを切り取って論じるしかありませんが、切り取り箇所を間違えると、論理が破綻してしまうと思います。ですから難しいのですが、この大航海時代から鎖国への流れを一度理解しておくことが、非常に重要だという『ひと先ずの結論』に至ったためです。

また、現在進んでいるグローバリズムなど、国内および国際情勢を理解する上でも、とても役に立つと思うからです。

大航海時代はグローバリズムのはじまりの時代

鎖国は国内の日本史的な話として捉えられがちですが、大航海時代の先駆けとなった、「旧教国スペイン・ポルトガル」対「新教国イギリス・オランダ」の抗争、という世界史的大きなできごととの関係を念頭に、語られるべきだと思います。旧教とはキリスト教のカトリック（カソリック。以降カトリックと表記する）であり、新教とはキリスト教のプロテスタントのことです。

大航海時代の要点は、『人間が奴隷という商品になった時代である』ということです。アフリカでの黒人奴隷だけでなく、日本でも日本人が多く売られて行きましたが、仏教徒などは異教徒であるとして外国へ売られて行きました。一度に数百〜数千人とすると、それが年間だとどれほど多くの日本人が連れて行かれたか、想像に難くありません。

豊臣秀吉は九州遠征の時に、キリシタン大名が領内の仏教徒を奴隷として売っていることを知ります。秀吉の御伽衆（おとぎしゅう）（将軍や大名の話し相手などを務める役職。秀吉は読み書ききが不得手であったため、耳学問として多くの御伽衆を召し抱えたとも言われている）・大村由己（おおむらゆうこ）は、長崎港で鎖に繋がれて次々と船に押し込まれていく日本人奴隷を見て、「日本人男女が数百人、獣のごとく手足に鉄の鎖を付けられたまま船底に追い込まれた。地獄のような呵責である」といった旨を秀吉に報告したといわれています。数万人が売られたとされ、インドやアフリカ、メキシコやペルー、アルゼンチンといった遠い南米の地にまで売られて行ったといいます。南米でのスペイン人侵略者による強制労働の、劣悪な環境で酷使されていた原住民（インディオ）の人口が急減したため、その人員補充のためでした。

秀吉は後に、準管区長（当時の日本におけるイエズス会の代表。菅区長がいなかったため、準管区長がトップであった）コエリョに向けて、4項目の詰問書を送っています。

一、何ゆえ、日本人にキリスト教を強いるのか。
二、何ゆえ、寺院を破壊し仏像を焼き僧侶を迫害して、僧侶らと融和しないのか。
三、何ゆえ、農民の力仕事を助ける牛馬を殺して食うのか。肉を食いたいなら、田畑の農作物を食い荒らし農民を苦しめるシカやイノシシの肉を食うことは問題ない。
四、何ゆえ、多数の日本人を奴隷として世界各地へ売り飛ばしているのか。

このとき秀吉はさらに、海外へ売られていった日本人を全て日本へ連れ戻すよう要求しています。「その際にかかる費用は、全て自分が負担する」とも伝えています。

しかし、コエリョは詰問のすべてについてはぐらかし、まともに回答しなかったといわれています。

その後、ポルトガル当局は、秀吉の強い奴隷貿易禁止要請に対し、日本人を奴隷として売買することを禁止します。そのため、秀吉は「奴隷解放の父」と呼ばれているのです。アメリカのリンカーンによる奴隷解放のおよそ262年前のことでした。しかし、その後も秀吉や日本を守る側の大名たちの目をくぐって、奴隷貿易は行われ続けます。

時代は前後しますが、信長の時代には、天正遣欧少年使節団（てんしょうけんおうしょうねんしせつだん）が長崎を出帆し、アジア・ヨーロッパ・アフリカを見て回ります。

航海の途中、インドやアフリカの地で見た日本人の男児や女児を含む奴隷について、使節団の千々石ミゲル（ミゲルは洗礼名で、本名は千々石紀員。正使。大村純忠の弟で肥前国釜蓋城主の子）と原マルチノ（マルティノとも。大村領の青年で、正使ではなく副使として参加）は以下のような会話を交わしています。

ミゲル「このたびの航海の先々で、売られて奴隷の境涯に落ちた日本人を見たとき、血と言語を同じくする日本人を家畜か駄獣のように、こんな安い値で手放すわが日本人への激しい怒りが燃え立った」

マルチノ「日本人のあれほど多数の男女や童男・童女が、世界中のあれほどさまざまな地域へ、あんな安い値でさらっていかれて売りさばかれ、みじめな賤役に身を屈しているのを見て憐憫の情を禁じ得ない」

後述しますが、少年使節団を派遣したキリシタン大名・大村純忠らが、ポルトガル商人から高価な武器を購入する代価として、領内の仏教徒を奴隷としてポルトガル商人に売り飛ばしたのでした。そして千々石ミゲルや原マルチノら、彼ら使節団の渡航費用も、彼ら自身が世界各地で見た日本人奴隷の苦役により、まかなわれていたのでした。後に千々石ミゲルはイエズス会を離れ、棄教しています。

なお、日本へはじめにやってきたフランシスコ・ザビエルは、当時ポルトガル領だったインドのゴアにあるイエズス会から日本へやってきました。

布教のとき、日本人が受け入れやすいよう、「天国（パライソ）は極楽であり、キリスト教の神（デウス）は大日如来である。大日の化身である神に祈りを捧げよ」と説きました。

これを聞いた当時の人々は、「釈迦が誕生した仏教の聖地インドから来た、本家本元の仏教の一派である」と考えました。

ザビエルはキリスト教用語を仏教用語に置き換えて説明したので、キリスト教は「天竺宗」という仏教の一派と見なされていました。そのため、「キリスト教の神は大日如来である」という説は、日本古来の本地垂跡説（仏が神道などの神の姿をとって現れるという教説）と似ている部分があったため、当時の日本人に受け入れられたのでしょう。

1600年、日本近海でオランダ船リーフデ号が難破して、大分県の臼杵湾に漂着、関ヶ原の戦いのおよそ半年前でした。

航海長のイギリス人ウィリアム・アダムスは徳川家康に気に入られ、外交顧問となります。アダムスは幾何学や数学、航海術などを家康や家臣団に授けたと言われており、元船大工としての経験を買われ、大型船の建造にも貢献しています。それらの功績と、本国へ帰ることを許されなかった慰留の意味もあり、のちに現在の三浦半島の浦賀・横須賀付近に領地を与えられ、三浦按針（みうらあんじん）の日本名を与えられます。按針は水先案内人という意味です。按針による国際宗教軍事情勢の解釈が、徳川の外交政策に大きな影響を及ぼし、その結果、日本は日本の独立を守ることができたともいえるでしょう。

さて、そのウィリアム・アダムス（１５６４年〜１６２０年）は、イングランド南東部のジリンガム生まれです。12歳の頃、ロンドンの船大工に弟子入りし、12年後、海軍へ入り貨物補給船の船長として「アルマダ海戦」に参戦しました。翌１５８９年に結婚、娘と息子を授かりますが、リーフデ号で出航したあと、先述の通り日本近海で難破、以後帰国することはできず、日本で生涯を閉じています。

このアダムスの参戦した「アルマダ海戦」（１５８８年5月〜9月）は、イギリス侵攻を目論んだスペイン艦隊をイギリス海軍が撃退し、スペインから海の支配権を奪う契機となった海戦です。

当時のスペインは、８年前の１５８０年にポルトガルを併合しオランダ、イタリア、メキシコ、南米、フィリピンまでを支配し「太陽の沈まない国」などと呼ばれていました。

当時のスペイン王フェリペ２世は敬虔なカトリック教徒であり、イギリス女王エリザベス１世はプロテスタントでした。スペインの一部であったオランダでは、プロテスタントの商工業者らがスペインからの独立運動を起こし、それをイギリス女王エリザベス１世が軍事支援。そのような情勢の中、フェリペ２世はエリザベス１世を倒すべく、イギリス侵攻を決意したという一面があったとも言われています。結果、スペインは多くの死者を出し大敗します。この「アルマダ海戦」（１５８８年）までは、海の覇権はスペイン・ポルトガルが握っていました。スペインからイギリスへ移行した海の覇権、これがのちのスペイン衰退へとつながっていきます。

アルマダ海戦（１５８８年5月～9月）よりずっと以前のポルトガルとスペインは、互いに海外への勢力拡大を争っていました。

１４００年代のはじめ頃、いち早く海へと乗り出したポルトガルは、アフリカ西岸航路を開拓していきます。大航海時代のはじまりです。

アフリカ西岸を南へと進む中、王子の衣装係をしていたアントン・ゴンサウヴェスという若者が、ブランコ岬の西サハラ海岸でアフリカ人男女を拉致し、奴隷として王子に献上します。

これがヨーロッパ人によるアフリカ奴隷貿易の始まりと言われています。

一四四八年までに、九二七人が奴隷としてポルトガルに送られたとされ、ローマ教皇ニコラウス五世はポルトガル人に「異教徒を奴隷にする許可」を与え、奴隷貿易を正当化します。

当時アフリカの黒人諸王国は部族闘争を繰り返していました。ポルトガル商人は一方の部族に鉄砲など新鋭武器を供与、負けた部族を奴隷として仕入れ、カリブ海や中南米へ連れていき、高値で売りました。

１４５０年頃になると、西アフリカ各地から次々と奴隷が売られていくようになり、ポルトガル人は１４８２年に、黄金海岸に面するエルミナにエルミナ城を築き、同地が大西洋奴隷貿易の主要拠点となります。

古くからの原住民の治めるコンゴ王国は、１４８５年にキリスト教の布教を承認、ポルトガル商人から武器供与を受け、敵対部族を攻略し、捕虜を奴隷としてポルトガル商人に売りました。その後、コンゴ王はカトリックに改宗し、１５４０年頃にはアフリカ最大の奴隷供給地となります。しかし後に、１６６５年、ポルトガルの侵攻を受け、事実上コンゴは滅亡します。

なお、コンゴ滅亡数十年前の１６３０年頃になると、オランダがポルトガルからブラジルの植民地を奪い、奴隷貿易に参入しはじめます。１６３７年頃には、ガーナの黄金海岸にあったケープコースト城と並び奴隷貿易の拠点であったエルミナ城を奪取しました。

その後、欧州の各大国も奴隷貿易に参入しはじめ、大西洋奴隷貿易の拠点となった地はやがて「奴隷海岸」と呼ばれるようになります。

そしてアメリカの建国が、奴隷貿易と原住民の虐殺から始まったことは、多くの方の知る通りです。大西洋の奴隷貿易にはポルトガル人、スペイン人をはじめ、オランダ人、フランス人、イギリス人も従事しており、アメリカ大陸へ連れて行かれた奴隷の数はおよそ１２００万人とも推計されます。欧米白人キリスト教徒により、世界中でこれまで、どれほどの伝統的な文化が失われ、歴史的遺物が破壊されてきたか、とても想像できる数ではないでしょう。しかし同時に、ベニン王国（現・ナイジェリア）やアシャンティ王国（現・ガーナ）など、黒人国家が奴隷狩りを行い、白人に売りつけて巨利を得ていた側面もあり、日本での例も同じように日本人奴隷貿易に加担したキリシタン大名たちがいました。

大航海時代、旧教（カトリック）国同士であったスペインとポルトガルは、互いに衝突を避けるため、海上ルートを西と東に分ける取り決めを交わしました。以後、ポルトガルは東を目指し、スペインは西を目指して侵略していくことになります。

そうして両国はやがて日本へと辿り着きます。そこから日本における南蛮貿易が本格化していくのです。

ポルトガルは先述の通りアフリカ西岸を南下していき、アフリカ東岸のモザンビークを経てインドのゴアへ到達。そこからマラッカを経て、さらにマカオを経由して日本の長崎へとやってきました。

スペインは一旦大西洋を渡り、マゼラン海峡を経て、南米に到達した後、メキシコからフィリピンを経由して日本の浦賀（神奈川県横須賀市東部）へと至るルートを開拓しました（浦賀へのスペイン商船の初入港は１６０４年。以降しばらくの間、毎年入港する）。

ポルトガルもスペインも、そのルート上にある国や地域のことごとくで、奴隷貿易、人身売買、略奪、強姦、放火、無差別殺戮、拷問、強制労働などなど、残虐行為の限りを尽くしていきます。

そうして滅ぼされたり、文化や伝統を破壊された国々が、アフリカの小規模民族や部族であったり、アジアの国々や、南米のインカ帝国やアステカ帝国であったり、フィリピンをはじめとした太平洋の島々でした。

その後、慶長14年（１６０９年）に、オランダが平戸へ新規参入し始めます。

当時、貿易と同時に日本を侵略する目的で、ポルトガルやスペインやフィリピン（当時のフィリピンはスペインに支配されていた）から多くの宣教師がスパイとしてやってきていました。その目的は「戦闘に特化した日本を攻め落とすことは不可能である。ならばせめて、その強靭な日本の侍を使って明を攻め、スペイン・ポルトガル兵は血を流すことなく、明国を手に入れる」ためでした。しかし簡単に日本人を懐柔することはできません。

その第一段階としての、キリスト教の布教でした。

人の心、つまり信心を掌握すれば、コントロールは容易いということを、西洋人はよく知っていました。布教と貿易、これらは常にセットであったのです。これまでに征服して来た国や地域のいくつかでも同じです。もちろん、より正確に言うならば「布教」と「貿易」と「暴力」が常にセットです。

毎年、数万ともいわれる日本人が国外へ奴隷として売られていき、キリスト教徒によって神社や仏閣はあちこちで破壊され、お地蔵様の首は切り落とされ、村々は焼き払われ、キリスト教に改宗しない村人たちは略奪や強姦、惨殺されたりしました。

地域の住民たちが古くから、代々守って来た由緒ある仏像などには、唾をはきかけられ、それから燃やされました。当然、その様な残虐行為は、各地で反対勢力との争いも生みました。その中で命を落としたり、国外追放になる宣教師も当然いました。

新しく参入してきたオランダ商船は、日本での布教は行わず貿易に専念しました。おそらく、ポルトガルやスペインの前例を見聞きしていたため、日本では大人しくした方がよさそうだと判断したのでしょう。そのため、日本での貿易を比較的スムーズに始めることができたのでした。

その後、慶長18年（１６１３年）、イギリスのグローブ号が国王ジェームズ一世の書簡と贈呈品を載せて平戸（長崎県の北西部）へ来ます。前述の三浦按針（ウィリアム・アダムス）が仲介し、同年９月、平戸にイギリス商館が開設され、イギリスの対日貿易が始まります。そして、同年12月にスペイン・ポルトガル勢に対して、バテレン追放令が発布されることになります。

大航海時代16世紀頃の日本の状況

カトリックには複数派あり、当時の日本に関係の深かった３派は、１２１０年に作られたフランシスコ会、１２１６年に作られたドミニコ会、そして１５３４年に作られたイエズス会です。

特に、イエズス会とフランシスコ会は早くから日本へやってきており、まずスペイン系イエズス会のフランシスコ・ザビエルが１５４９年に来日し、２年後にインドのゴアへ戻ります。１５６３年には、ポルトガル系イエズス会のルイス・フロイスが来日。そして文禄二年（１５９３年）、スペイン系フランシスコ会のペドロ・バプチスタが平戸へ来着、布教活動をはじめます。なお、初めてドミニコ会士が日本へ来たのは、天正二〇年（1592年）にフィリピンから来日し、豊臣秀吉に謁見したとされる、ファン・コボであったと言われています。

では、16世紀当時の日本は、どのような状況だったのでしょうか。

当時、南蛮貿易の拠点であった長崎のある九州に目を向けてみましょう。

先述の通り、ザビエルが日本を去った後の永禄六年（1563年）、イエズス会宣教師でポルトガル人のルイス・フロイスが来日します。

フロイスは1548年にインドのゴアで、日本へ向かう直前のザビエルに会ったと言われています。彼は語学と文筆の才に優れていたため、1561年以降、各宣教地からの通信を扱う仕事に従事しました。イエズス会総長はフロイスの才を認め、日本におけるイエズス会の活動を記録するよう命じました。そうしてフロイスの書き上げた『日本史』は、布教の記録であると同時に、後進のイエズス会宣教師が日本で布教する際の手引書の様な役割を果たすようになります。そのような記録書の性格もあり、社会情勢だけでなく、当時の時の権力者・信長や秀吉などの細かな言動や性格分析など、生々しく描いたとされています。

永禄四年（１５６１年）、ポルトガル船が平戸に入港、平戸商人との売買交渉を始めます。

しかし商談が決裂すると、ポルトガル商人は船に戻り武装し、平戸の商人や武士団を襲撃、武士団も抜刀して応戦しました（宮ノ前事件）。その結果、ポルトガル人14人が亡くなり、ポルトガル船は平戸を離れると、三城城（現在の長崎県大村市）の城主・大村純忠（おおむらすみただ）が、自身の領内にある横瀬浦（よこせうら）（現在の長崎県西海市）を新たな貿易港として提供します。ポルトガルとの貿易により、富や武器を手に入れるという動機であったとされていますが、実際に横瀬浦の港から10キロ以内の土地の半分をイエズス会所有とし、キリシタンのみ居住が許されました。さらに貿易商人の税金免除などにより、横瀬浦は賑わい、財政の改善には成功しました。

その後、大村純忠はキリスト教へ傾斜していき、25人の重臣とともに永禄六年（１５６３年）に洗礼を受け、日本初のキリシタン大名となりました。はじめはポルトガルの商人を誘致する目的が強かったはずですが、のちにキリスト教にのめり込んでいきます。領民

6万人を強制的に改宗させたり、改宗を拒むものは「異教徒」として弾圧し、奴隷としてポルトガル人に売り飛ばしました。甥の有馬晴信もキリシタン大名となりましたが、領内の神社仏閣を破壊した後、先祖の墓まで破壊してしまいました。

現在では、アジア諸国や中南米に残る裁判記録から、日本人奴隷に関する記録が多数見つかっており、これらの事実を踏まえずして、豊臣秀吉のバテレン追放令や日本側からの禁教令などが行われた、その是非を問うことはできないのです。

この様な情勢のもと、同じ永禄六年（1563年）に、当時31歳のイエズス会宣教師ルイス・フロイスが横瀬浦に上陸、はじめて日本の地を踏んだのでした。

また、ザビエルが去り、ルイス・フロイスがやってきた1563年頃の九州では、大友宗麟が豊後・豊前・筑前・肥後を、龍造寺隆信が肥前を、島津義久が薩摩を支配し、三代勢力が覇を唱えていました。さらに中規模領主として、松浦氏、大村氏、小規模領主として有馬氏が領地を有するなど、群雄割拠の時代でした。

そんな中、各家は常に緊張状態にあり、特に中小領主の各家は三代勢力の間で、その時々の情勢に合わせて、あちらに付いたりこちらに付いたりしながら、生存を図っていました。

永禄五年（1562年）、門司（現在の北九州市の辺り）に侵攻してきた毛利元就との戦に敗れた後、神仏の加護を求めて出家した大友宗麟は、その五年後の再び毛利元就と戦うことになった際、鉄砲に使う火薬の原料である「硝石」の輸入を、イエズス会宣教師に要請します。

天分一二年（1543年）に種子島へ鉄砲が伝来して以降、日本は火縄銃の一大生産国となっており、戦国時代末期には50万挺を保有するまでに至り、当時世界一の火縄銃大国となりました。日本の刀鍛冶の多くが鉄砲鍛冶に転業し、その性能は爆発力、瞬発力においてもヨーロッパ製より高性能であったといわれています。

しかし、火薬の原料である「硝石」の調達の問題が出始めます。

日本ではこの「硝石」が採れなかったので、輸入に頼るしかなかったのです。

鉄砲がいくらあっても、火薬の原料である「硝石」がなければ意味がありません。「鉄砲伝来」「キリスト教の布教」「硝石の輸入」これらの問題が一気に出て来たのが戦国期であり、その「硝石」の貿易に携わっていたのが、ポルトガル商人とイエズス会宣教師でした。故に大友宗麟は、「硝石」の輸入をイエズス会宣教師に要請したのです。

神仏の加護を求めて出家していた大友宗麟は、神通力よりも「硝石」を手に入れられるキリスト教の方が軍事的に霊験がある、という即物的な理由からか、イエズス会宣教師に「自分はキリスト教を保護するが、毛利元就はキリスト教を弾圧する者である」とし、「毛利元就には硝石を与えないように」との手紙を送ります。その結果、永禄一二年（１５６９年）、毛利氏を撃退し北九州を事実上、支配します。以来、大友宗麟はキリスト教へと傾斜していったのでした。

スペイン・ポルトガルによる日本侵略の概要

ここまで書いてきた通り、信長、秀吉、家康の時代を通して、日本は戦国の世であったと同時に、外国勢力による侵略の危機にありました。当時、世界のおよそ半分を支配していたといわれるスペイン、そしてスペインと同じくキリスト教カトリックの信仰国であったポルトガル。彼らは次なる侵略地として、明（みん）を狙っていました。

そのためには日本を強奪し、当時、世界でも圧倒的戦闘能力を誇るとして知られていた日本人兵力を使って明を攻めることにより、スペイン人やポルトガル人は血を流すことなく明を手に入れる、という計画でした。

まず日本へのスパイとして送られたのが、カトリックのイエズス会宣教師たちでした。彼らはスペイン・ポルトガルから、あるいは当時スペインの支配地であったフィリピンや、ポルトガルの支配地であったインドなどから、日本へやってきました。

初めは日本を武力で支配しようと画策していましたが、スパイ（宣教師）たちから送られてきた報告は、どれも似たようなものでした。関ヶ原の戦いなどにより、日本の侍の勇猛さと戦闘能力の高さに驚嘆した宣教師たちはみな一様に、日本人を武力で支配するのは不可能である、と本国へ報告します。そこで彼らは計画を変更します。まず、キリスト教を布教し、キリシタンを増やすことによって、日本国内のキリシタン勢力を醸成します。そうして時が熟すのを待ち、徳川三代の頃には、日本の中枢を乗っ取ることができるだろう、という計画を立てます。

一定数のキリシタン勢力を生み出すことができれば、当時平和ボケして軍事力もさほど大きくなかった明を、彼らキリシタン日本兵を使って攻め入れば、自分たちは血を流すことなく、容易く手に入れることができるだろう、という遠大なものでした。

しかし、彼らが三代目は暗愚だと予測した三代将軍家光は、聡明でした。スペイン・ポルトガルの意図を見抜きます。神の様に崇め尊敬していた祖父・家康の定めた朱印船貿易などの政策も、父であり大御所の二代将軍・秀忠と共に、奉書船（ほうしょせん）制度の開始により、事実上無効化していきます。（奉書船貿易の開始）

寛永一六年（1639年）7月5日、第五次鎖国令を下し、ポルトガル船の来航を禁止、ポルトガル人を国外へ追放しました。ポルトガルの宣教師が一揆勢を扇動し、それが島原の乱が起こった一因となったことと、ポルトガル船による宣教師の相次ぐ密入国および、それまでの国内での目に余る非人道的行為を受けてのことでした（※有馬氏に代わって、新しく入封してきた松倉氏の圧政も乱の原因の一つと言われています）。

また、別の見方をすれば、乱平定に際し、徳川幕府軍側についたオランダ軍船からの砲撃が、原城に籠っていた切支丹（カトリック教徒）の戦意を挫いたことは重要な点であり、その後、新教国（プロテスタント）・オランダが貿易を許されたのも、その功績によるところが大きいといわれています。そしてそれは、それまでカトリックとプロテスタントの間で続いたヨーロッパでの壮絶な戦いの局地戦であったと、歴史研究家の渡辺惣樹氏などが指摘されています。

ポルトガル人が追放されて空き地となった長崎の出島に、寛永一八年（1641年）、平戸からオランダ商館が移設されます。こうして家光は鎖国体制を完成させました。

以降、オランダは日本に渡航する船内にある聖書等キリスト教関係物を、船内の箱に密封して隠すか、海に投棄するなどして、幕府役人の目をあざむくよう細心の注意を払ったといいます。その上で、オランダ以外の外国船の来航を阻止するよう働きかけました。


家光がその戦後処理も含め、「島原の乱」を見事に平定し、鎖国体制を完成し（※前述の通り、およそ五回に分けて段階的に行われた）、日本が国際紛争に巻き込まれる根を断つと、日本は戦のない天下泰平の世となりました。同時代のヨーロッパが、王位継承戦争、宗教戦争、領土拡張戦争、革命戦争など、常に戦争に明け暮れていたことに比べると、世界史的偉業と呼べるものでした。

少し時代は経ますが、日本の華岡青洲（はなおかせいしゅう）が、麻酔薬の開発に取り組み、文化元年（1804年）に世界で初めて全身麻酔手術を成功させたのも、鎖国の時代でした。欧米に約40年先駆けてのことです。

鎖国の完成により、各種分野における国産化が進みました。輸入に頼っていた綿織物や生糸、砂糖などが国産化され、自給自足が可能な経済体制が形成されていきました。各地の特産物は、「天下の台所」大阪へ集められ、そこから全国へ送られました。そうして、次第に国内の交通輸送インフラが整備され、農業・経済・産業が発展していきます。

瀬戸内海沿岸で生産された塩が全国へ流通し、醤油や酒などの醸造業も発展していきました。

さらに、オランダ医学によって医療水準が向上する一方、西洋人の入国を禁止したことにより、海外からの疫病の流入を防ぐことになりました。当時ヨーロッパを襲っていたペスト（黒死病）などが、日本で流行しなかったのは、鎖国のおかげであったかもしれません。

江戸の人口は100万人を超え、世界最大の都市となり、江戸、京、大阪を結ぶ東海道は、世界で最も人通りの激しい街道であったといわれています。

自国の経済が弱いときは、国内産業の保護育成を図ることでバランスを取るというのが、自由貿易経済における途上国の生存戦略である。というのが、経済学・貿易論の学理であるそうですが、家光が鎖国を完成させた結果、国内の産業が発展したことは確かな様です。

教科書問題

この章の最後として、日本の主に義務教育で使われている教科書について考えていきましょう。

先に、歴史の詳細な事実については、義務教育で教わることはほとんどないと書きました。

主に一般の小・中学校および一部高校の教科書を閲覧できる教科書展示会というものがあります。

会場では、実際に学校で使われているほぼ全教科の教科書を自由に閲覧できるもので、基本的に誰でも見に行くことができます。会場は複数の市ごとに設けてあり、それぞれの市ごとに使われている教科書を展示してあります。どの教科も複数の出版社が教科書を出しており、どの出版社の教科書が採用されるかは学校により違う様です。

（学校で使用する教科書を決定する）その権限は、公立学校で使用される教科書については、その学校を設置する市町村や都道府県の教育委員会にあります。また、国・私立学校で使用される教科書の採択の権限は校長にあります。（文部科学省ホームページより）

以下、令和5年（2023年）の6月〜7月にかけて開かれた教科書展示会（千葉県）で、実際に筆者が確認してきた内容を一部紹介します。会場での写真撮影は禁止されており、常に係りの方がいるので、気になる箇所を一つ一つスマホにメモしていきました。なお、筆者が見てきた展示会は千葉県内の2箇所ですが、採用されている教科書は全国的にも大きな差異はないとのことでした。それではまず、小学校で使われている教科書の内容を見ていきましょう。

『新編 新しい社会6 歴史編　東京書籍　令和5年3月28日検定済』のP136には、

「1944年昭和19年になると、アメリカ軍の飛行機が日本の都市に爆弾を落とすこと（空襲）が多くなりました。軍事施設や工場だけでなく、住宅地も爆撃され、東京や大阪をはじめ、多くの都市が焼け野原となり、多くの人々の命がうばわれました。」

という内容が書かれています。

しかし、それが『国際法違反』である、との但し書きはありませんでした。
原爆についても同じで、『民間人および民間施設に対する無差別爆撃』や『原爆の使用』は、明確な『国際法違反』のはずです。私が見落としていない限り、そのことには一切触れられていませんでした。

『新しい社会 歴史　教師用指導書　指導展開編　東京書籍』のＰ３５４には、
「第二次世界大戦の始まり」と冠し、学習目標として、
●ドイツやイタリアと同盟を結ぶなど、日本が取った行動について、国際的な視野で考察し、表現する。
とあります。その隣には『評価基準の例』という欄があり、
●日独伊三国同盟を結んだ日本の行動について、国際的な視野を踏まえて考察し、表現している。（思判表）
とあります。
さらに、続く学習内容の『展開例』では、第二次大戦について、
●枢軸国による占領！　独ソ戦の展開を理解させる。

●ナチス・ドイツによる占領政策の過酷さに気付かせる。
●人の心をなくさせてしまう戦争の悲惨さに気付かせる（※筆者注：句点がないのは原文ママ）
●戦時においても自らの信念をつらぬいた杉原の行動から、生命の尊さを考えさせる。
↓（※筆者注：杉原千畝の「命のビザ」についてと思われる）
●道徳科の授業との関連を意識づけるのもよい。

などとあります。

教師用の指導書ということで、ナチス・ドイツによる政策の過酷さや、戦争の悲惨さを生徒たちに気付かせるのは、大切なことでしょう。しかし、そもそもなぜ戦争が起こってしまうのか、特に第二次世界大戦はどのようにして起こされたのか、について枢軸国（敗戦国）側のみが悪かったような印象を与えないよう注意する、というような意図は感じられないものでした。

担当の市の職員さんの説明によると、ほとんどの教科書は、子供が勉強に対する興味を失わないために、つまり飽きさせないために、人物を中心に教科書の内容を展開しており、そのため、内容を充実させることよりも、時系列に沿って物事をテンポよく追って行くことを念頭に作られているのではないか、とのことでした。

子供たちを飽きさせないように工夫することも大切かもしれませんが、実際に各出版社から出ている教科書を手に取って見比べてみると、これを元に子供達はいったい何を学べるのだろう、と首を傾げたくなる様なものばかりでした。

今や子供でもスマホを当たり前のように使っている時代です。歴史や社会について『ただの情報』として伝えているだけのような内容に、「おもしろみ」を感じるでしょうか。『ただの情報』としてなら、いくらでも無限に簡単に手に入れられるのが今の時代です。ネットで簡易的に手に入る情報と教科書の内容に「情報の質」としての差がない上、教科書に書いてある内容の、その背景やストーリーを語れる教師はどのくらいいるでしょうか。

さて、前述の『新編 新しい社会６ 歴史編 東京書籍 令和５年３月28日検定済』Ｐ１４６には、

「国際社会の平和を守るため、国際連合がつくられました。」

と説明しつつ、国連の説明として、

「第二次世界大戦の反省のもとに設立され、多くの国々が協力し合って、国際的な問題解決をする場所となりました。国連加盟後、日本もさまざまな活動に協力し、世界の国々からその活やくが認められています。」

とあります。

国際連合がどういう機関であるか、といった具体的な内容にはいっさい触れておらず、国連に対してなんとなく良いイメージを持たせる様な書き方（印象操作）がはっきりとされています。前述の通り、国連は国際連合ではなく、厳密には連合国であり、その役割も旧敵国を牽制することが設立の理由です。それは設立当初だけのことではなく、基本的には現在も変わっていません。強行に推し進められたＬＧＢＴ利権法案騒動で明らかになったように、日本が現在も主権を有していないということの原因と密接に関係のあることであるため、その事実を根本から包み隠してしまう様な説明の仕方は、非常に問題があると思います。そのことは「ＳＤＧｓ」に特に見られる、あいまいな言葉や表現を用いて、子供達の「思考」や「価値観」を意図的に形成・編集していく、あるいはもっとはっきりと言ってしまえば、一部の大人の好きなように『カスタマイズ』していく、現在の世界的な流れとも密接に関係しています。それゆえ、このような言葉や表現の選択は、非常に重要なことです。なにも、小学生から国連憲章の「敵国条項」について教えるべきだ、などと言うつもりはありません。しかしこういうことは、小さい頃からの刷り込みが印象を形成してしまうのです。誰が何といっても、「教科書」というものに沿って授業も試験も進められてしまうのですから。

『小学3社会　教育出版　令和5年3月28日　検定済』のP162には、「SDGsとつなげて考えよう」と題して、以下の様に説明があります。

「SDGsは、日本語で「持続可能な開発目標」といいます。だれひとり取りのこされることなくみんなが安心して満足したくらしを、ずっとこの地球で続けていくために、17の目標が立てられました。世界では、この目標を2030年までに達成できるように、協力して取り組みを進めています。」

同じ4年生版でもP214~215に、SDGsについて同様の内容が書いてあります。

さらに、5年生版のP250~251では、

2030年までの目標達成に向けての、2015年に国連で開かれた「持続可能な開発サミット」のことにまで言及されており、6年生版ではそれを踏まえた内容となっており、

より具体的な写真などの掲載が増えています。それに対し、3、4年生版では、SDGsの「17の目標」についてのみ触れていました。

また、社会（歴史）・道徳・保健体育・公民など、複数の教科の複数の出版社による教科書を閲覧しましたが、『グローバル』や『国際的』という文言、そして多様性や、性自認に関する自由や、多様性を想起させる言い方などが、ところどころに配置されており、その様な「言葉」や「概念」を子供たちの意識へ段階的に刷り込んで行くことで、子供の思想や善悪の判断基準までを、同一方向に誘導しているということが、明確に分かるものでした。

では次に、中学校で使われている教科書の内容を見ていきましょう。

今回私が、特に確認したかった「自由社」版の教科書を軸に見ていきましょう。

『中学社会　新しい歴史教科書　自由社』のP109には、

地球分割計画という言い方で、ポルトガルとスペインがそれぞれ西進と東進に分かれ、世界中に侵略していったことを説明しています。そして、「ローマ教皇の承認を得ました。」と説明があります。つまり、西洋にとって、彼らは奴隷貿易を「正当化したのだ」と、指摘しているのだと思います。

Ｐ１１７では、秀吉によるコエリョに対する『詰問』をしっかりと取り挙げています。しかしその際、秀吉が「奴隷として売られていった日本人を救う費用のすべてを自腹する」と言ったことは書かれていませんでした。紙幅の関係もあったのかもしれません。

さらにＰ１５５では、マルクス共産主義を、「社会の各分野に広い影響力を持ちましたが、他方で、理想とは逆の悲惨な結果をもたらすことにもなりました。」と締めくくっており、私が確認した中では、共産主義の負の面をはっきりと指摘している教科書は、自由社の教科書のみでした。

また、これも私が確認した中では、グローバリズムに対する懸念をしっかりと書いているのは、自由社と育鵬社の教科書のみでした。

一方、『新しい社会歴史　東京書籍版』のＰ１５９では、

「社会主義の広がり」として、

「19世紀のヨーロッパでは、資本主義によって生じた格差や貧困を解決しようとして、知

識人の間に社会主義の考えが芽生えました。社会主義者は、労働者が働きに見合った賃金を受け取ること、また土地や工場などを公有にすることによる平等な社会の実現を唱えました。社会主義は各国の労働組合と結び付きながら、マルクスの著作などによって、国をこえた労働者の連帯と理想社会を目指す運動となって各国に広まりました。」

と説明されています。

マルクスや共産主義についてここで改めて説明はしませんが、昨今では、アメリカや日本の若者を中心に、共産主義・社会主義化が進んでいます。しかしそれは、これまで書いてきた通り、世界規模で数十年〜百数十年単位で進められてきた浸透工作及び、文化マルクス主義の一環であるリベラル教育の結果です。

最近の若者を見ていると、ほとんどみんな優しい雰囲気をしています。物事の見方は良くも悪くもソフトで、実際に接していても、おっとりとした感じの人が増えているように思います。

それ自体は素晴らしいことですし、話していてもとても感じの良い人が多いのです。しかし同時に、これは若者に限らず中年以降もそうだと思いますが、マニュアルが定められていないと不安に感じる人が増えていたり、「責任の伴わない自由」や「公平性を欠いた平等」のことを「自由と平等」と呼んでいたりします。それがＳＮＳなどでの誹謗中傷などと、直接かどうかは分かりませんが、何かしら関係していることは明らかでしょう。近年問題になっている誹謗中傷による、悪質ないじめや犯罪・事件はみなさんご存知の通りです。

また、多様性や個性と叫ばれながら、同じような服を着ていたりします。それが流行りというものだ、と言う人もいるかもしれませんが、一時期流行った、「シンプルなパンツに白Ｔシャツをインする」スタイルで、四人組がまさにみんな同じ服装で前から歩いてくるのを見た時は、言葉は悪いですが、『量産型』という言葉が浮かんでしまいました。

筆者のようなミレニアル世代と呼ばれる世代は、子供～大人へと至る時期に、まさにあらゆる技術革新の大きな変革期を過ごしたと言えると思います。小学生の頃にはポケベルやＰＨＳが、中学高校で携帯電話、その後すぐにスマホが登場し、あっという間に当たり前になりました。音楽の聴き方でいえば、カセットテープで自分だけのミックステープを作ったことも当然あるし、ＣＤはもちろん、一時期ＭＤというものもありました。それが段々とサブスク（サブスクリプション・サービス）が流行り出し、街中からＣＤを扱う店が消えていきました。

どんどん便利になって行くと同時に、なるべく物を持たない「ミニマリスト」のようなライフスタイルが雑誌やテレビなどで紹介され始めたり、「これからの地球の未来を考える」的な番組やドキュメントや映像作品が増え、昨今では、雑誌でマルクスが特集されたり、『資本論』が紹介されたりしています。

ここでご紹介した『新しい社会歴史　東京書籍版』には、「社会主義は各国の労働組合と結び付きながら、マルクスの著作などによって、国をこえた労働者の連帯と理想社会を目指す運動となって各国に広まりました。」とありますが、「国をこえた労働者の連帯と理想社会を目指す運動」とは、一体何を指すのか、読者のみなさんはどう思われるでしょうか。

『中学社会　新しい歴史教科書　自由社』のP228では、コミンテルンの世界革命戦略について言及されており、P237では『ハル・ノート』についても触れています。

P258～259では、「占領下の検閲と東京裁判」と冠して、日本人洗脳作戦や東京裁判についても書かれており、『WGIP』についてもしっかり言及されています。

さらにP260では、国連の本当の意義についても分かりやすく丁寧に説明されており、

『敵国条項』についても書かれています。

さらに、自由社の教科書では日本の國體（こくたい）を理解する上で重要な、日本の神話についてもしっかりと書かれていました。

『中学歴史　日本と世界　山川出版社　２０２０年令和2年3月24日
文部科学省検定済』

のＰ１２５では、島原の乱やキリスト教について、キリスト教側からの視点で描かれています。多くの方が、戦国時代におけるキリスト教徒の弾圧が、日本側からの一方的なものであったと思っているかもしれません。しかし前述の通り、それは事実と違うと私は思います。なお、この教科書でも、私が見る限り、日本神話に関する記述は見つけられませんでした。

『最新　新しい日本の歴史　育鵬社　令和2年3月24日　検定済』ではＰ44で、日本人の宗教観として、神道と日本式の仏教について書かれています。

Ｐ２７９では、「グローバル化の進展」として、「私たちは日本人としての自覚や独自の文化を大切にしたうえで、グローバル化に対応しなければなりません。」としています。育鵬社は、元は自由社と同じグループであった様ですので、やはりこちらも、多くの教科書とは趣の違った内容が散見されます。

さて、ここでは主に小学校と中学校の教科書を例にあげましたが、私たちは義務教育という制度があることで、基本的にすべての国民が平等に学校へ通うことができます。それは一見、素晴らしいことのように思えますが、その内容を見ていくと、一概に良いことと言えるのか疑問が湧いて来ます。

子供の頃に獲得した認識は、たとえそれが間違った認識だったとしても、特に本人が意識的に学びなおそうとしない限り、一生そのままの認識で過ごすことが多いでしょう。その結果、その認識が、人生の予想もつかないところに影響を及ぼしていたりします。根っこから吸い上げた養分が幹を伝い、やがて枝葉へと浸透していくようにです。その先に咲いた花は、綺麗かもしれません。しかし触れたら、毒を持っているかもしれないのです。

第6章で詳しく取り上げますが、人は自国の文化を誇りに思えない場合、あらゆる面で脆くなります。第2章で「自国の神話や歴史を学ばなくなった民族は、100年以内に必ず滅びる」という、トインビーのものとして有名な言葉を紹介しましたが、現代を生きる私たちは自国の文化や歴史をどのくらい語れるでしょうか。

第6章

Rebuild a House
(国家再建)

自衛のための要諦

言葉による破壊

さて、第2章〜第5章まで述べてきた様なことが、私たちの「食の安全」や「暮らしの安全」とどう関係があるのでしょうか。

大企業が利権を貪ることや、大航海時代の南蛮貿易と現代を生きる私たちの健康との間に、直接の関係などない様に思えるかも知れません。

「全体主義」という言葉は、「ルーズベルトの開戦責任」の著者であり、第一次世界大戦で黒人部隊を率いて戦ったことで有名なハミルトン・フィッシュが、1941年1月21日のラジオで口にしています。(「アメリカはいかにして日本を追い詰めたか」ジェフリー・レコード 著、渡辺惣樹 訳・解説　草思社)

つまり、「全体主義」という言葉は、昨今使われ始めた言葉ではないのです。

私は持論として、グローバリズム(全体主義)の源流が大航海時代にある、とすでに書きましたが、そこまで遡れば、グローバリズム(全体主義)という言葉自体はなかっただろうと思います。

しかし概念があり、そこに言葉が付与されます。まだ全体主義というものが概念化もしていなかったであろう大航海時代、そして日本が、そのまだ言葉にすらなっていない全体主義の序章に巻き込まれていった戦国時代。その後いったん鎖国を挟み、傷を癒したものの、英米による巧みなマネー（お金）工作により明治維新を迎え開国。そして、それまでおよそ２５０〜２６０年間一度の戦争も無かった平和な日本が、なぜかその後、戦争を繰り返す時代へと突入していきました。

戦後は言論統制と検閲により、それまで保守的だった一部の新聞社などは、反日工作機関へと変わっていきます。国の要であり未来である「教育」は「洗脳教育」に変わり、この世で最も強力な武器のひとつである「情報＝メディア」は、英米および共産主義者の「プロパガンダ醸成機」と化しました。そうして日本は現在、西のグローバリスト・国際金融資本家たちと、東のグローバリスト・中国共産党によって蝕まれています。その毒は「がん」のようにじわじわと見えないところで浸透していき、神経を麻痺させ、思考と精神を機能不全に陥らせます。インターネットや物流といった、活用すれば本来は素晴らしいものであるはずの、人とものと情報をつなぐ構造そのものが、「ナラティブ（意図的に作られた物語）」という幻覚剤をあまねく社会の全体に行き渡らせることに貢献しています。

さて、スーパーで食材を買う時、多くの方が産地や食品添加物、原材料などの表記を確かめると思います。

しかし、まずその表記がどのくらい信頼できるものなのか、そのことは第1章に書きました。

そしてなぜ、その様な情報がメディアで語られないのか、そのことは第2章と第3章で示唆的に書きました。

ロスチャイルドやロックフェラー（注：ロスチャイルドはユダヤ人、ロックフェラーはアメリカ人）をはじめとした国際金融資本勢力は、FRBの創設により、まず「金融」を掌握しました。

ヨーロッパを牛耳り、アメリカへ進出したロスチャイルド家がニューヨークに送った代理人ポール・ウォーバーグ。そのポール・ウォーバーグの働きにより、アメリカにFRB（民間所有の中央銀行「連邦準備制度理事会」および、その配下の「連邦準備銀行」）が創設されました。

バーナード・バルークやクーン・ローブ商会のジェイコブ（ヤコブ）・シフ等と共に、政権を裏から操り、大恐慌を演出し、フランクリン・デラノ・ルーズベルト（ＦＤＲ）を大統領に仕立て上げ、第二次世界大戦を起こさせましたが、それだけの操作を裏から行うには、「金融」の力を握るだけでは不十分です。

そこで、ジェイコブ・シフのクーン・ローブ商会の顧問弁護士であったルイス・ブランダイスを、当時のウィルソン政権へ送り込み、連邦最高裁判所判事に就任させる事で「司法」にまで彼らの力が及ぶよう、足掛かりを築いていきました。つまり、ブランダイスはウォール街（国際金融資本）の代理人として、最高裁判事に送り込まれた、ということです。いまや連邦捜査局（ＦＢＩ）までもが、彼らウォール街（国際金融資本勢力）の牙城であるといわれています。

その上で、最も重要となる鍵が「メディア」でした。

メディアは元々、人々（世論）をコントロールするには「情報」が最も強力なツール（道具・手段）である、と気が付いた人々が作ったものです。

その昔、テレビもラジオもなかった頃、メディアの役目を担っていたのが、絵画や文学や音楽、そして舞台劇などでした。

芸術はある意味では教育を担っており、『表現』の世界はプロパガンダに利用されてきました。宗教などはそれを積極的に利用してきたでしょうし、今よりも情報収集という意味では格段に知識の少なかった昔の人々は素直に受け入れたでしょう。

そのような仕組みに気がついた人々は、いつの時代にもいたはずです。

ですから、民衆から搾取し続けたいグローバリストの様な人々にとっては、そのような気がついた人々を社会的に抹殺するための「何か」が必要となります。

その「何か」の、おそらく最も簡単でコストのかからない方法が、「言葉」を用いることです。

言うまでもなく、情報（＝メディア）は言葉です。言葉にすれば、概念が生まれます。概念があって言葉が生まれる、ということの逆をやるのです。

そうして作り出された言葉が「陰謀論」です。現在では「ネトウヨ」という言葉も同様でしょう。その言葉を先に作って、人々の間に浸透させてしまえば、現象はあとからついてきます。「ＳＤＧｓ」や「多様性」という言葉が代表的な例です。

「陰謀論」という言葉は、ジョン・Ｆ・ケネディ大統領暗殺後、ＣＩＡによって広められたと言われています。

ジョン・F・ケネディ、ロバート・ケネディ両氏の暗殺の真相を一時的に隠すための「概念」を生み出すためでした。

単独犯と言われる犯人の持っていたリボルバーは8発しか装弾できないのに、12発の銃声が確認されたという報告が明るみになったり、様々な事実がどんどん出てきました。

そこで、ケネディ兄弟暗殺の真相解明を阻止するための世論操作に「陰謀論」という言葉を利用したと分析する研究者もいます。

民衆をコントロールしたい人々は、世界を「従順な地球市民」でひとまとめにしようとします。そのため、「伝統」、「民族」、「家族」といった、個性を生み出すもの自体を否定していきます。

「従順な地球市民＝均一化された人々」を作るためには「多様性」があっては邪魔なのです。

それゆえに、おかしな話に聞こえるかもしれませんが、「多様性」という言葉を広めるグローバリストにとって最も都合が悪いのは、その「多様性」なのです。

ですから、その邪魔な「多様性」を排除するために、「多様性」という言葉を使うのです。

日本というナショナリズムを失くすために、あるいは分断するために、「アイヌ」という言葉をある種の政治的意図を持って使ったり、「LGBT」という言葉を使ったりして、少数派と呼ばれる人々を表す言葉を「利用」するのです。そうして分断のないところに分断を生み出していくのです。

そしてグローバリスト（全体主義者）たちが最も恐れるのは、『理論武装して具体的に自衛の方法を自ら学び、それを実践する人が一人でも増えること』です。そのような人々は、コントロールできないからです。

テレビや新聞などで得た情報の真相を、自ら調べる人はあまりいません。しかし考えてみてください。

なぜでしょうか？

私たちは何を根拠にその情報を信じているのでしょうか？

「まさかN◯Kをはじめとしたテレビの各局や大手メディアが偽りの情報を流すわけがないだろう」と、そう思うその根拠は何でしょうか？

国（政府）が嘘をつくわけがないと、何を根拠に思っているのでしょうか？

有名な学者さんが発言しているからでしょうか？

医者や専門家と呼ばれる人は誰でも信用できるのでしょうか？

御用学者という存在をご存知でしょうか？


これもまたくどい様ですが、たとえ自ら調べたとしても、無意識に自分と同じ様な意見や考えを持った人の話ばかり選んでいる、というのはよくあることです。しかし、それでは全く意味がないどころか、どんどん視野狭窄になってしまいます。情報を得ることで、あるいは、自分では勉強しているつもりでも、その情報源が元でどんどん無知になっていくこともあるからです。

理屈をこねるのはこのくらいにしますが、この本の内容も疑っていただいて、自ら調べていただけたら幸いに存じます。

この本は「食の安全」を主要なテーマのひとつとしていますが、それには情報の精査が必須だからです。

日本人は『情報弱者』と呼ばれています。海外では「People（ピープル。人々）」と「Sheep（シープ。羊）」をかけて「Sheeple（シープル。自分で考えることをしない、羊の様に従順な人々）」などという言葉まであります。

自分が得る「情報」に対して一定の責任感を持つことが、家族や国を守ることに直結します。もちろん自分自身のこともです。

「国を守る」なんて言うと、右翼みたいだ、とか、軍国主義的だ、と思う方もいるかもしれませんが、「国を守る」とは「子どもたちの未来を守る」ということです。

誤解されているトランプの「アメリカ（自国）ファースト」の意味

私が国際情勢に興味を持ったのは、大手メディアの情報に違和感を持ったことが大きなきっかけのひとつである、とすでに書きました。

そして新型コロナに関することはもちろん、米国大統領選挙やトランプ前大統領に関する報道に対しても同様でした。


当時メディアは、トランプ大統領が如何に下品で人種差別主義的で暴力的な人物であるかを喧伝していました。大手メディアを見る限り、そしてそれをある程度信じる限り、ドナルド・トランプという人物に対して、好印象を持つことは不可能でした。

私は毎日の様に、彼が何かの理由で辞任するか、なんらかの組織に引きずり下ろされればいい、と思っていました。

傲慢で品のない、知性のかけらもない様な男だと思っていました。そのくらい、私のトランプに対する嫌悪感は、非常に堅固なものでした。

しかしある時、ふとしたことでその気持ちに「ひび」が入ったのでした。

それはある日、テレビをなんとなく眺めていた時でした。ふと、あることに気がついたのです。

それは、トランプ大統領に関して、どのチャンネルもどのニュース番組もワイドショーも、どのコメンテーターも司会者も、専門家や知識人と呼ばれる様な人々も、「皆同じことを、同じ切り口で、同じ報道の仕方をしている」ということでした。

そのことに、とても気持ちの悪さを覚えたのでした。

相変わらずトランプ氏のイメージは、悪いままでした。

しかしメディアの情報に対して、何かとても大きな違和感が、私の心の中にしっかりと根を張った瞬間でした。

テレビだけではありません。

新聞や、Y○hoo などのネット・ニュース、L○NE ニュース、ラジオや雑誌など、どれもほとんど同じでした。

私は、自分が何か気持ちの悪い世界に迷い込んでしまったかの様な気分になりました。

しかし実際は、「ずっとそうであったことに、やっと気がついた」だけなのでした。

そうして私は、すぐに自分であらゆる情報を調べる様になりました。

それからは、テレビや新聞やY〇hoo! ニュースをはじめとした大手メディアなど、特に何もせずに自然と向こうからやってくる情報には、一定の距離を置くようになりました。自発的に調べて、自分なりにその情報源に信憑性を感じたもの以外は信用しなくなったのです。

トランプ氏に関するイメージは180度変わりました。

やがて、彼に対する報道がなぜあんなにも偏っていたのか。なぜアメリカも日本も、世界中でほとんどすべてのメディアが一斉に彼を徹底的に叩く必要があったのか。なぜ彼が異端とされ、蔑まれ、あれ程までに悪いイメージを拡散されたのか。その理由のすべてが、はっきりと分かったのでした。

次に、日本ではほとんど報道されていない事実のひとつを、簡潔に挙げておきましょう。

2020年の米国大統領選挙において、多くの不正があったことを暴いている通称「ナヴァロ報告書」というものがあります。

この報告書は、トランプ政権で国家通商会議委員長を務めたピーター・ナヴァロ氏が、その時点で選挙不正が疑われる事象を詳細にまとめた、『政府公文書』です。

2020年12月の時点で、司法判断および不正行為を訴えるおよそ50の裁判が、すでに進行していました。検証作業には、裁判のプロセスで提示された数千の宣誓供述書や証言、およびシンクタンクや法律センターのレポート、メディアで報じられた写真やコメントまで用いられました。

特に、激戦となった6州（アリゾナ、ジョージア、ミシガン、ネヴァダ、ペンシルベニア、ウィスコンシン）で見られた異常な現象には、「明らかな不正」、「不法な集計処理」、「違法が疑われるミス」、「憲法平等条項違反」、「不正が疑われる集計機異常」、「統計的に不可能な票の動き」などの証拠証言が多く認められ、これが、「先の選挙において、トランプ大統領の勝利は盗まれた」と結論付けた本報告書の根拠の一つでした。詳細は『『公文書が明かすアメリカの巨悪』渡辺惣樹 著、ビジネス社』を参照。

今の世の中は、無理やり共依存の状態を作り出し、その状態を維持することで経済を回している様な側面があります。

トランプ前大統領の多用していた「アメリカ・ファースト」とは、どういう意味なのでしょうか。

「アメリカのこと以外は重要ではなく、なんでもアメリカにとっての利益だけを重視する」という様な意味だと思っていないでしょうか。

もちろん一流の経営者でもあるトランプ氏には、そのような感覚もあるでしょうし、実際に何かあれば同盟国を犠牲に差し出すことも厭わない面もあるでしょう。その点は、トランプ大統領を盲目的に賛美する一部の支持者が、留意しておかなければならない点だと思います。

しかし同時に、言うまでもなく、言葉は扱い方に一定の注意が必要です。往往にして、言葉通りの意味で受け取ってはいけません。言葉には、文脈や背景が必ず存在するのであり、そこを一切無視した、いわゆる『切り抜き』や『切り取り』と言われる動画が流行っていることの弊害がここにあります。

今やテレビのニュースや新聞、大手の報道など、ほとんどこの『切り取り』『切り抜き』情報で構成されているといっても過言ではありません。

さて、「アメリカ（自国）・ファースト」というのは、アメリカだけでなく、どの国も本来そうであるべき当然のことです。

アメリカはアメリカ第一に、日本は日本第一に、オーストラリアならオーストラリア第一に考えて、それぞれが自立し自律した国家となって、その上で平和な世界を築いていきましょう。という意味です。そのような視点を持つ人を「ナショナリスト」と言います。自国第一主義などと訳される場合もありますが、自分の国だけが大事という意味ではないのです。お互いの依存を減らしつつ連帯していきましょう、ということです。

例えていうならば、世界が一つの大きな構造物であった場合、柱の一つ一つが世界中の国々です。どこか一本が不安定だったり、他の柱に依存したりしていては、そこに不安や緊張が生まれます。ですから、それぞれの国が、自国の安定を優先し、地政学的に任された場所（国土）の安全と平和を保つということは、国際社会という全体の構造を支え、安定化させるために重要なことなのです。その方法にはもちろん、経済的な面も当然含まれます。

日本は日本人の安全と幸福を第一に考えるのが当たり前ですし、それが国としての当然の義務です。

それは決して、日本人以外に対して冷たく当たることでもないし、ましてや差別を助長する様なことでもありません。

同じ様に、日本政府は日本人が汗水流して働いて生み出したお金を、日本人のために還元するのは当然のことです。そんな当たり前のことが、現在の日本ではできていません。

アメリカにしてもそれは同じで、そういう国家として不健康な状態を治すために、まずは自分たちの国をしっかりと立て直しましょう、その上で国際協調を互いに進めていきましょう。という当たり前のことを「アメリカ（自国）・ファースト」という言葉で表しているのです。

これまで見てきた様に、日本もアメリカもヨーロッパをはじめ多くの国が、一枚岩ではありません。あらゆる勢力が入り組んで存在しており、国家の中枢に入り込み、それぞれの思惑が錯綜しています。これまでかなりの紙幅を割いて見てきた通り、アメリカという国の統治には、複雑な多重構造が見られました。さらに日本は未だ主権を失ったままです。つまり今日においても、日本は未だ戦後の占領下にあると言っても、決して大げさではないと私は思います。

自らの足で立つ「自立」と、自らを律する「自律」、その両方が今の日本にはできていません。一方アメリカは、「自立」しているけど「自律」できていない、と言えるかもしれません。

「自立」は自分のことは自分でできる、ということです。例えば何か問題が起きた時に自分で対処できる、ということです。国防（防衛）がそれに当たります。しかし日本には軍隊がありません。

そもそも国際法では『一国の主権が侵害されているときに、その国の根本的な法体系や憲法を占領国が変えてはならない』とされています。

戦力の不保持という、世界でも類を見ない日本国憲法の裁定は、その様なことは無視してGHQとマッカーサーによって強行に進められました。

憲法草案に際し、マッカーサーは「マッカーサー三原則」を示しました。

その中にははっきりと、

「国家の主権的権利としての戦争を廃棄する」として、「日本は、紛争解決のための手段としての戦争、および自己の安全を保持するための手段としてのそれをも放棄する」

「いかなる日本の陸海空軍も決して許されないし、いかなる交戦権も日本軍には決して与えられない」とあります。

日本政府は当然、松本烝治（まつもとじょうじ）国務大臣を委員長とする憲法問題調査委員会（松本委員会）を結成し「憲法改正要綱」や「憲法改正案ノ大要ノ説明」などをＧＨＱに提出しましたが、日本側が用意した憲法改正案はあっさり否定されました。

その後も松本委員会は「憲法改正案説明補充」を提出するなどして、巻き返しをはかりましたが、決定が覆ることはありませんでした。その後、異例の速さで憲法改正の動きは進められました。

しかしこの憲法改正の動きは、アメリカ本国も知らないまま秘密裡に進められたといいます。

ＧＨＱの上部組織である極東委員会もまた知らされていなかったため、マッカーサーに対し「日本国民が憲法草案について考える時間がほとんどない」として、憲法改正問題について協議するためにGHQから係官を派遣するよう要請しました。しかしマッカーサーはそれを無視して、憲法改正作業を強引に進めていきました。

（「日本国憲法は日本人の恥である」ジェイソン・モーガン　悟空出版）

「自律」は自らを律する、ということです。それは本来ならば、ある意味、日本人が最もよく体現できていたことではないでしょうか。自らを律するというのは、あらゆる場面、あらゆる事柄において言えることですが、無論、「文化」や「伝統」、紡いできた「歴史」と無関係ではあり得ません。

諸説あるとは思いますが、日本は世界で最も古く長い歴史を持つ国です。古く長いから単純に良いというわけではありませんが、「自律」できていなければ長く「伝統」と「文化」を紡ぎ続けることは不可能でしょう。同時に、その長い歴史の中でバランス感覚が培われていったとも言えるでしょう。

歴史が長い、というたったそれだけのことには『言葉以上の重み』があるのです。

真実を知った者が、もうそれを知らなかった頃の様には生きられないのと同じように、長い歴史を持つ「文化」と「伝統」の国に生まれ育った日本人は、そのことを学び、知り、自分に誇りとその自覚を持って生きることで、国際社会に貢献できると思います。

語弊を恐れずいうならば、そうすべきですし、その誇りと自覚が責任感を生み出すのではないでしょうか。日本の安全や豊かさは、アジアの平和なくしてはあり得ないし、世界の平和なくしてもあり得ません。

しかし日本は資源のほとんどを海外に依存しており、国内では採れないものも多くあります。

国という「土地」がどこかへ移動するということは不可能であるため、隣の国がどの国であるかなどは選べません。そうなると、地政学的な重要な問題は自ずと決まってきますし、国際社会における役割も、ある程度決まってきます。

そういった事柄とひとつひとつ向き合っていくには、「自律」が必須ですし、「自立」もまた必須であるということは自明のことです。

戦中戦後の検閲

前章でＷＧＩＰ（ウォー・ギルト・インフォメーション・プログラム）の話をしたのには、さらに理由があります。

ＷＧＩＰが、日本人の心に罪悪感を植えつけるための宣伝計画であった、ということはすでに述べました。しかし、連合国の狙いはそれだけではありませんでした。

前章に引用した江藤淳氏の『閉された言語空間』によると、ＷＧＩＰの開始（１９４６年）に先駆けて、新聞ではいちはやく「プログラム」が開始されていたようです。

《一、戦争の真相を叙述した『太平洋戦争史』（約一万五千語）と題する連載企画は、ＣＩ＆Ｅが準備し、Ｇ－３（参謀第三部）の戦史官の校閲を経たものである。この企画の第一回は一九四五年十二月八日に掲載され、以後ほとんどあらゆる日本の日刊紙に連載された。この『太平洋戦争史』は、戦争をはじめた罪とこれまで日本人に知らされていなかった歴史の真相を強調するだけでなく、特に南京とマニラにおける日本軍の残虐行為を強調している。
二、この連載がはじまる前に、マニラにおける山下裁判、横浜法廷で裁かれているB・C級戦犯容疑者のリストの発表と関連して、戦時中の残虐行為を強調した日本の新聞向けの「インフォメーション・プログラム」が実施された。この「プログラム」は、十二月八日以降は『太平洋戦争史』の連載と相呼応することとなった。（下略）》（『閉された言語空間　占領軍の検閲と戦後日本』江藤淳　文藝春秋）

このプログラムは、戦犯容疑者の逮捕や、裁判の節目々々に合わせて展開されて行ったといいます。

マッカーサーはこの連載の第一回を、見開き二頁に組み込むために、各新聞社に用紙を特配しました。

おそらく「大東亜戦争」が「太平洋戦争」という呼称に塗り替えられて行ったのも、この時期のことでしょう。これは単なる用語の組み替えなどにとどまりません。

戦争の呼称が入れ替えられるというのは、その存在と意義、および『その戦争に託されていた意味』を塗り替えられるのと同じです。

日本人が戦った「大東亜戦争」を、アメリカ人の戦った「太平洋戦争」に塗り替えられてしまったのです。

アメリカ人が自国の歴史認識において「太平洋戦争」と呼称するのはよいでしょう。しかし、日本人にそれを無理やり嵌め込むのは、見過ごせることではありません。

日本人の自発的な意思によって行われた〝呼称の変更〟ではなかったのです。


『太平洋戦争史』は、新聞連載終了後、昭和二十一年（1946年）3月と6月に高山書院から刊行されて、10万部が売れたといいます。しかしその売れ行きの要因の一つには、学校の教材として使用を命じられたということがあったと思われます。

「WGIP（ウォー・ギルト・インフォメーション・プログラム）」に先駆けて展開されていたこの『太平洋戦争史』は、まさに「プログラム」の嚆矢(こうし)でありました。

一見、歴史の記述のように見えますが、戦後長らく信じられてきた南京の虐殺や日本軍が行なったとされる様々な戦争犯罪が、今日では真偽の怪しい情報であったということが少しずつ暴かれてきています。

さらに、『太平洋戦争史』は歴史記述ではなく、「日本の軍国主義者」と「国民」とを対立させようという意図が込められている、と江藤氏は言います。

そしてこの対立を虚構ではあっても生み出すことによって、実際には「日本」と「連合国」、特に「日本」と「米国」とのあいだの戦いであった大戦を、まるで「日本の軍国主義者」と「日本国民」とのあいだの戦いであったかのように、すり替えようとする意図が秘められていると指摘します。

戦争の内在化、あるいは革命化にほかならない、と。

「日本の軍国主義者」と「日本国民」の対立という図式を作ることで、「国民」に対する「罪」を犯したのも、「これからやってくる日本の苦難や窮乏」も、すべて「国＝日本の軍国主義者」のせいであって、アメリカには責任はないという論理を作り出したのです。

大都市への無差別爆撃も、広島・長崎への原爆使用も、「日本の軍国主義者」が悪かったから起こったことで、実際に爆弾を落としたアメリカ人には少しも責任はない、という理屈です。

さて、戦中戦後にGHQによって数千と言われる数の書籍が焚書・禁書にされたほか、文学作品や映画、一般人の私的な手紙に至るまで、厳しい検閲が行われていたことはご存知の方も多いでしょう。

戦時下には、資源の少ない日本が用紙不足のため、出版用紙を統制する目的もあったとされていますが、「企業整備」の名のもとに約2200ほどあった出版社は、10分の1の約200程度に減らされたりしました。

当時は検閲に提出する前に、著者と編集者が、検閲に引っ掛かるかどうか細かく検討したうえで、出版の準備を進めていたことなどが、当時の手紙などのやりとりによって確認できます。

和田伝（わだ・でん）や伊藤永之介らと共に日本農民文学会を創立した鶴田知也は、出版社担当者に向けた手紙の中で次の様なことを書いています。

「検閲官の意見を十分考えてみましたがどうも私の方の意見がいいように考えられます。しかし分量が加わり大分添削しましたので、検閲官の意見にも相当近づいているかとおもいます。」（「戦中戦後の出版と桜井書店」山口邦子著　慧文社）

占領軍による検閲は、昭和二十年(1945年)の9月から昭和二十四年(1949年)の10月まで行われました。

日本の大手メディアに対しては、すべての内容が発表前に事前検閲されましたが、同じようにアメリカが支配する西ドイツや韓国では実施されませんでした。

郵便検閲に関しては、多数の日本人検閲官を採用する必要がありました。しかし、その給与は賠償金代わりに日本の政府が負担させられていました。

検閲は一般国民の私的な手紙に対してまで行われ、没収されたりして、手紙が届かなかったことも少なくなかったようです。そのため当時の人々の書簡などのやり取りからは、お互いに行き違いがあったり、手紙などで伝えた内容がどの程度相手に伝わっているのか、注意深く確認しながら、言葉を選んでいる印象を受けます。

出版物だけでなく、私的な手紙の類にまで検閲の目が入っていたことは、当時の日本人に、自分たちは敗者である、という意識を嫌でも思い起こさせただろうと推察できます。

また、占領軍に戦犯と決められた場合、どのような扱いを受けるかも分からない中、文学をはじめ表現の世界に身を置いていた人々の苦悩は、想像を絶するものだったでしょう。

明治四十三年（1910年）熊本県生まれの、元GHQ検閲官であり英文学者・甲斐弦（かいゆづる）氏は著書に次の様に書いています。

『戦後占領期間中の新憲法第二十一条を読むたびに私は苦笑を禁じ得ない。「検閲は、これをしてはならない。通信の秘密は、これを侵してはならない」何という白々しい言葉であろう。』

当時、原爆の残虐さを非難した鳩山一郎氏の談話を掲載した朝日新聞が48時間の発行停止を食らったり（昭和二十年9月18日）、石橋湛山（いしばしたんざん）の東洋経済新報が一部残らず押収の憂きめを見たこと。さらに、一般国民の私信も検閲の対象となっていたことはすでに述べましたが、手紙そのものが没収されたり、甲斐氏の著書によると、時には逮捕されることまであったようです。

戦中と戦後の検閲は、主に前者が出版会に後者がGHQによります。

戦後のWGIPや洗脳教育は、放送や新聞などメディアおよび教育機関では内部構造そのものを乗っ取られました。現在にもはっきりとその影響があり、さらに悪化しています。

というのは、現代では、自主的に検閲をする様になってしまったからです。日本人の持つ、真面目さとか勤勉さといった性質と、同調圧力を生み出しやすい集団社会の性格が、それぞれ原因のひとつであることは明らかでしょう。

ドラマの制作時には、信じられない様なことで脚本家は書き直しを要求されます。いつ頃からか、タバコを吸うシーンがほとんど無くなったのもそうですし、「八百屋」や「魚屋」といった○○屋という名称は差別的であるから使ってはいけない、として、青果店とか鮮魚店という呼称に統一させられたりするのです。

更に、これは脚本以前の企画段階の話になると思いますが、昨今では、ボーイズラブといって男性同士の恋愛ものであったり、ジェンダーの多様性を謳う意図があからさまなものなども増えてきています。これはいっ時の流行りや偶然ではなく、テレビ界・放送界全体が、グローバリストの意向を汲んでいるからであり、彼らスポンサーの顔色を伺っているからでもあるでしょう。

お笑いの世界などでも、「人を傷つけない笑い」や「暴力的な表現の規制」など議論されることがありますが、どんな笑いがその範疇なのかは曖昧です。

さて、言論の自由が今の時代にもないことは、YouTubeのチャンネルや動画のバン（規制をかけられたり強制削除されること）やサイレント（シャドウ）・バン（見えないところでいつの間にか行われる制約。運営側からの一方的なミュートなどを指す）などの事例を見ても明らかです。

コロナ以降はワクチンに関する情報を発信しているだけで、チャンネルや動画がバンされたり、米国大統領選に関する不正選挙の実態や、グローバル企業の実態等を暴露するような内容なども、バンの対象になります。

前述のBLM（ブラック・ライブズ・マター）やウクライナに関する本当の情報が得づらいのも、このようなことが関係しています。特定の言葉などを嫌う大企業や、それらと癒着している国際機関および政府機関などが結託して、言論統制しているのです。

筆者も翻訳に携わらせていただきましたが、「Twitter（ツイッター）ファイル」というものの存在をご存知でしょうか。

イーロン・マスク氏がTwitter社（現X社）を買収した後、はじめに行った内部調査及びその暴露が、「Twitterファイル」と呼ばれる調査報告書群でした。私はあるジャーナリストの方からの依頼で、この翻訳に携わらせていただきました。ファイルは膨大な調査報告からなっており、Twitter ファイル1、Twitter ファイル2、Twitter ファイル3、、のように調査した担当者や調査時期、内容ごとにまとめられており、そのうちのひとつを担当させていただきました。

また、Twitter ファイルの暴露を受けて、米国共和党下院のナンシー・メイス議員が、議会で Twitter 社（現X社）の元役員を詰問する動画の翻訳と字幕入れも担当させていただきました。Twitter ファイルによって明らかになった内容は、特にコロナ禍以降、Twitter 社（現X社）がコロナやワクチンに関する情報を伝えているアカウントや投稿を不正に操作したり、意図的に人々の目に触れる情報の操作をしていたことなどを裏付ける、Twitter 社（現X社）役員や社員たちのメールなどを暴いたものでした。

これらの証拠に詰問された元役員らは反論できず、また、Twitter 社（現X社）に対し各国政府機関から言論統制の要請があったこと、更には、Twitter 社（現X社）がＦＢＩの子会社の様な役割を果たしていたことなども、明らかにされたのでした。２０２３年２月に公開されたこの動画は Twitter（現X）で広く拡散されたため、ご覧になった方もいると思います。これを書いている現在（２０２３年10月）、この動画の閲覧された回数は

535万回を超えています。

さて、話を戦後に戻しましょう。前述の様な検閲が陰惨な統治方法であることは言うまでもありませんが、当時の人々の新憲法に対する感情を知るには、役にたつ情報であったと言えるかもしれません。先の元GHQ検閲官・甲斐弦氏は、次のように述べています。

「憲法への反響には特に注意せよ、と指示されていたのだが、私の読んだ限りでは、新憲法万歳と記した手紙などお目にかかった記憶はないし、日記にも全く記載はない。繰り返して言うが、どうして生き延びるかが当時は皆の最大の関心事であった。憲法改正だなんて、当時の一般庶民には別世界の出来事だったのである。」（『GHQ検閲官』）

この記述に関して甲斐氏は「あとがき」で、「最近読んだ当時の法制局次長佐藤達夫氏の著書『日本国憲法成立史』〈有斐閣〉の中に、私の発言を裏付ける記述があったのでほっとした。当時の深刻な生活環境の中では憲法問題どころではなかった、と氏も書いておられる。」とカッコ書きで補足しています。（甲斐弦氏の『GHQ検閲官』は1995年平成七年に刊行）

次の手紙は、ボルネオからの復員軍人の手紙で、甲斐氏が思わず書き留めたものとして、著書で紹介されているものです。

「日本は『自由』の名の下に梅毒第三期に等しい精神状態に落ちて行きつつある。このまま進むならば滅びる外ない。再起は不可能であろう。

自分も時には何も彼も投げ出したくなることがある。だがそれでも、あの特攻機に乗って真っすぐに敵艦に突っ込んで行った戦友たちのことを思うと、あきらめてはいけないと己を殴りつける。

どうして日本人はここまで堕落したのか。国を思わず、民族の将来を思わず、一身の利害のため、平気で同胞の首を締めるような奴らを見ると、ぶった切りたくなる」

この憤りと悲しみがいっぱいの手紙を読んで、現代の私たち日本人に向けられている様な気持ちになるのは、きっと私だけではないでしょう。

日本人検閲官には、それぞれに事情があり、葛藤を抱えて検閲の仕事に従事していた人々も多かったでしょう。

前述の甲斐弦氏などは、「自分はアメリカの犬だ」と言う様などこか後ろめたい気持ちが常にあった様で、それでも、妻と幼い二人の子供を養うために、やっとの思いで得た仕事であったため、深い葛藤の中、生活のため複雑な気持ちで仕事に従事したのでした。

旧知の知り合いが、戦後お金のために共産主義者を持ち上げる様な生き方をしているのを見て、自分にはまだ、日本人としての矜持が残っている、と憤ったりします。

日本人検閲官の中には、当時の平均月収の数倍の給料をもらっていた人もいたとされ、欧米式の実力主義が、給与に分かりやすく反映されていた様です。

何かを新しくはじめる際などには、会社や役所など、いちいち大量の提出物を求められる日本の体質に対して、その様な欧米式の分かりやすいやり方に好感を抱く人もいたようです。

圧倒的な日本人の困窮と、我が物顔でそこらじゅうで好き勝手やりたい放題やっていた占領軍の米兵たちとの、目に見える物質的豊かさの圧倒的な差が、当時の焼け野原となった日本の町々で、日本人の心にどの様な影響を及ぼしたかは想像に難くありません。

またその一方で、明治維新以降、特に戦前には、日本軍や政府による新聞や雑誌に対する検閲が行われていたといいます。

発売禁止や経済制裁など、時には命の危険を感じさせられるほどであったようです。そのような国内の情勢を知った上で、アメリカ軍はもちろんそれを利用しました。相手の弱みにつけこみ、それを利用するのです。

マッカーサーが日本に来て最初に行ったことが、一般国民に対する「言論の自由」と「行動の自由」、そして「労働組合をつくる自由」など、「集会・結社の自由」と同時に、新聞雑誌・報道の自由を与えると喧伝することでした。報道や言論に携わる人々は歓喜しました。これまで書きたかったことを書けるぞ、となったのです。しかし、各新聞社・雑誌が原爆をはじめ、アメリカを非難するような内容を書いた途端に、日本のマスコミ・新聞社の社長やオーナーがＧＨＱに呼び出されます。「おまえたちは自由をはき違えている」と。それでも、日本の新聞、雑誌は基本姿勢を変えませんでした。するとマッカーサーらＧＨＱは、彼らの言う「言論の自由」、つまり『あくまでもアメリカに隷属したうえでの言論の自由』というものを、日本人は分かっていない、と判断します。

そこで日本に対し、有名な10項目の「プレスコード（報道コード）」を突きつけます。

例えばその中には、

（３）連合国軍に関して、破壊的または誤った批判をしてはならない。

（4）占領軍に対して破壊的な批判を加えたり、疑いや怨念を招くようなものを掲載してはならない。

（5）公式に発表されない限り、連合国軍部隊の動静を報道してはならない。

などがあります。

つまり、連合軍やGHQ、アメリカのイメージが悪くなるようなことはいっさい書いてはならない。としたのです。

さらに、このプレスコードと同時に出された通達があります。

それは、今後はGHQの担当員がそれぞれの新聞社、雑誌社、NHKに入って事前に検閲をする。というものです。その検閲物の翻訳に従事したのが、前述の日本人検閲官の方たちです。

それでも、それまでの数年間におよぶ占領軍の日本人に対するあまりの横暴に対し、言論や報道に携わる一部の日本人は少しでも事実を世の中に暴こうと懸命に抗いました。

そうすると今度は、アメリカは印刷する「紙」そのものを規制しはじめました。

そうなるともう、なすすべがありませんでした。

そうしてＧＨＱ、およびその影響下にある官庁が、戦後日本の報道・言論をしばらくのあいだ統制管理していました。そういった事実は当然報道されませんので、やがて人々の間から問題意識が薄れていきます。何年も、何十年もかけて。その延長線上に今日の日本の姿があるのです。

根本的には何も変わっていません。なぜなら、根本に問題があること自体を国民が知りませんし、知ることのできないよう仕向けられたままの状態が、今も続いているからです。もうとっくにＧＨＱはいませんし、本来は自由に報道できるはずなのです。またそうすべきです。しかしそうなっていないその仕組み・その理由の一端は、これまで述べてきた通りです。そしてその構造の根本に、戦後の検閲による影響があることは、ひとつの確かな事実であると思います。

ともあれ、その他にもＧＨＱが行なった教科書の塗り潰しや、日本の神話や歴史を教えない政策は、明確な犯罪であったはずです。

なぜなら、『ハーグ条約』という国際法により、他国の宗教・思想に干渉することは禁じられていたはずだからです。

米国陸軍戦略研究所レポート（レコード論文）

ＧＨＱによる占領政策と、今尚続くその後の洗脳教育の結果、日本人の多くが先の大戦の責任は日本だけにあるという、いわゆる「自虐史観」を植えつけられました。『東京裁判史観』ともいわれるものです。

現代の日本人が自虐的に歴史を解釈すれば、「日本は侵略したとされているから、日本が悪いのだろう。ならば日本が反省しなければいけない」となってしまうのかもしれませんが、しかし、やはり大きな違和感を感じるのは、そこに世界史的な視野が欠けているからであり、特に「日本から見た世界史」、「日本から見た日本史」という観点が、ほぼ無いに等しいからです。

フランクリン・デラノ・ルーズベルト（ＦＤＲ）の戦争責任については、戦中から現在に至るまで、あらゆる研究がされてきています。

当時のルーズベルト大統領及びその政権は、平和のため奔走したのである、とする「正統派」の史観に対し、当時のルーズベルト大統領及びその政権には、戦争を起こす悪意が明確にあったとする立場の人々は「歴史修正主義者（リビジョニスト）」などと呼ばれ、様々な妨害にあってきました。

1953年に、ハリー・エルマー・バーンズが自らの研究をまとめた書を発表すると、両陣営の論争は加速しました。

バーンズの書に論考を寄せたウィリアム・チェンバレンやパーシー・グリーヴス、ウィリアム・ニューマンやフレデリック・サンボーンといった論客らは、ルーズベルト政権の主張に沿った史観を展開する歴史家たち、いわゆる「御用学者」らによって「歴史修正主義者（リビジョニスト）」のレッテルを貼られます。

やがて「御用学者」たちは、公文書へのアクセスを独占しようとしたり、「修正主義」史観に立つ書物の出版を妨害するようになりました。

それでもなんとか出版された書物に対しては、徹底的に無視するか、中傷したり、著者に対する個人攻撃までするほどであったといいます。

2009年2月、アメリカ空軍大学教官ジェフリー・レコードが発表した論文、通称「米国陸軍戦略研究所レポート」は、陸軍大学のカリキュラムにも利用されることを想定して書かれたものといわれています。

ジェフリー・レコードによるこの論文（通称レコード論文）も、基本的に「正統派」史観によって立つものであり、ルーズベルト政権の外交に明確な悪意があったとはしていません。あくまでも、対日外交に誠意ある態度で向き合っていたという前提で、論を進めています。

しかし、政権の中枢が日本に無知であり、そのやり方は強引であったと責めており、それは日本側にも言える、としています。結果的に導き出した結論は、「修正派」の論と一致する部分も多く、それゆえに多くの歴史家から注目されたのでした。

さらに、いわゆる「陰謀」論争に対しては一定の距離を置いたこともあり、「正統派」からも「修正派」からも抗議されない工夫がされたものでした。いずれにせよ、どちらの側に立つ日本人にとっても、冷静に読むことのできるものであり、開戦に至る原因が日本だけのものではなかったことを示唆する、十分に価値あるものと言えるでしょう。

さらに教訓として「戦争が不可避であると考えると、自らその予言を実行してしまいがちになる」と述べ、レコード博士は日本だけでなくアメリカも同様の過ちを犯したとし、一方的に日本ばかりを責めているわけではありません。

アメリカという国を理解する上で、非常に分かりやすい例のひとつとして、レコード博士の言葉を紹介しておきましょう。

「おそらく先進国の中で外国語を一つも話せない人間でも有識者とみなされる唯一の国がアメリカであろう」

また、この様な論文に先立ち、チャールズ・A・ビーアド、ハーバート・フーバー元大統領、ハミルトン・フィッシュ下院議員など、歴史の背景に埋もれてしまった事実をあぶり出そうと努めた人々は、少なからず他にもいました。

CRISPR - Cas9, The God Gene／クリスパー・テクノロジー、神の遺伝子

先ほどの「Twitter ファイル」の件だけでなく、我々日本人にも非常に関係があるのに、日本では全くと言っていいほど一般に取り上げられていない情報が、他にも数え切れない

ほどあります。この章の最後にその一つをご紹介します。

人類はこれまで、様々な作物で「遺伝子組み換え」の研究を行ってきました。今日ではさらに「遺伝子編集技術」の分野にまで、歩を進めています。

近年、CRISPR-Cas9（クリスパー・キャスナイン）と呼ばれる、ゲノム（遺伝子）編集技術が注目されています。

DNAの鎖をカット&ペースト（切ったり貼ったり）できる技術で、主に遺伝性疾患の治療や、特定の病気や気候への耐性を備えた農作物の作出、及び、食材や薬剤などに利用されています。

CRISPR（クリスパー）とは、細菌のDNAにある反復配列のことであり、Cas-9（Cas9ヌクレアーゼ）とは、DNAをカットする際の「はさみ」の様な役割を持つものです。

CRISPR（クリスパー）は1987年、九州大学教授の石野良純博士らが発見したと言われていますが、大腸菌の酵素に関する論文中で述べるにとどまり、長らく注目されてきませんでした。

ゲノム編集については、すでにＺＦＮ（ジンク・フィンガー・ヌクレアーゼ）やＴＡＬＥＮ（転写活性因子様エフェクターヌクレアーゼ）が知られていましたが、クリスパー技術（クリスパー・テクノロジー）の特徴は、『圧倒的な簡便さと低コスト』です。そのため、現在では世界中で利用されており、医学や気候変動など、様々な分野における新たな可能性が期待されています。

しかし同時に、別の側面についての懸念も当然存在します。


私（筆者）がクリスパー・テクノロジーの存在をはじめて知ったのは、本書冒頭で述べたジャーナリストの方が、ある動画のリンクを送ってくれたことからでした。２０２３年に入ってすぐのことです。

その動画内で、米ＣＢＳの調査報道番組「60ミニッツ」の元特派員で、ジャーナリストのララ（ローラ）・ローガン氏が話す内容は、驚きと共に大変興味を惹かれるものでした。そこから得た、いくつかのキーワードを手掛かりに調べ始めると、次第に色々なことが分かってきました。

２０２２年12月、ドイツの映像作家Hashem Al-Ghaili（ハシェムアル・ガイリ）は、人口子宮施設「EctoLife（エクト・ライフ）」のコンセプト映像を公開しました。

２０１７年、米国ペンシルベニア州フィラデルフィアにて、子宮の環境を模したバイオバッグによって、羊の赤ちゃんの育成に成功した「EctoLife（エクト・ライフ）」は、さらに研究を進めます。

コンセプト映像によると、年間３万人の赤ん坊を育てられるといわれる人口子宮施設では、妊娠はおろか受胎すらせずに、赤ん坊の体力や骨格、目の色や髪の色や肌の色といった身体的特徴から、遺伝的異常や先天性疾患の排除にいたるまで、自由にカスタマイズできるといいます。

日本だけでなく、今や出生率の低下は、世界中で年々深刻になっています。どの様な情報をどのように解釈するかにもよるとは思いますが、最近では、ほんの過去数十年の間に、男性の精子の数がほぼ半分になっているという驚きの報告もあります。

再生可能エネルギーによる電力で稼働する「EctoLife」では、胎児のお腹には人口の「へその緒」が付けられ、清潔なカプセルの中、24時間適切に管理された状態で、ＡＩによって常にモニタリングされるのです。
オスロ大学の准教授アンナ・スマイドール博士は、人間の子宮と骨盤の制約が、脳と頭蓋骨の大きさにブレーキをかけているといいます。そのため、クリスパー・テクノロジーによって「新しい進化の道が開けるかもしれない」と。

おそらく多くの方が思われることでしょうが、果たしてそんなものが、本当に人類にとって必要なのでしょうか。

映画「マトリックス」のワンシーンの様な映像は、世界中で話題になりましたが、今のところはあくまでもコンセプト（一概念）であるということです。しかし同時に、プロデューサーのハシェム氏によると、技術的には10年ほどで実現可能だとも言います。これは筆者の邪推かもしれませんが、実際にはどこかに、似たような施設が既に存在していたとしても、不思議ではありません。
容姿や知能にいたるまで、親の希望通りにカスタマイズできるとされる子どもは、「デザイナー・ベイビー」とも呼ばれ、こうした技術により恩恵を受けられる人がいる、とも言えるかもしれません。しかし、語弊を恐れず言えば、それを「恩恵」と呼んでいいのかは、分かりません。故に、世界中で様々な議論をよんでいるわけです。

ゲームや映画の世界ではありませんが、クリスパー・テクノロジーを使い、特定の目的のために特定の能力を飛躍的に高められた人間が、両親ではなく、組織や企業によって大量に産み出される様な世界になったとしたら、それはもう、私たちの望む人類のあり方ではないのではないか、と私は思います。

また、この様な技術が、心や精神といった、まだまだ科学では解明されていない分野に及ぼす影響を、あらかじめ知ることはできません。肉体に与える影響もやはり、未知と言えるでしょう。

そして当然、悪用しようとする人々もいるでしょうし、既にそうした人々がこの分野の研究に関わっていないとは、とても思えません。

いずれにせよ私たちは、映画やゲームの世界の様な社会を、実現しようと思えばできてしまう時代に、「すでに」突入しているのです。

この章の最後として、ララ・ローガン氏の言葉を紹介しましょう。

「もし他人の遺伝子コードに介入できたとして、クリスパー・テクノロジーを使うことで、その遺伝子を取り除くことも可能でしょう。そしてその時、人類は、『従順でコントロールしやすい民衆』を獲得するのです。」（SGT Report.Jan.9.2023）

第7章

Proud Japanese
（日本人としての矜持）

日本人に生まれて

私的世界と公的世界

2000年代初頭、ニューヨーク・マンハッタン、地下鉄。手すりに摑まり立っていると、隣の若い黒人男性が突然話しかけてきました。

「その靴いいね！　どこで買ったの？」

朝から元気だな、と思いながら、そういえばこの国に来てからすぐ、朝から元気な人がとても多いことに気がついたのでした。日本では、朝はなんとなくみんな、どんよりとした雰囲気のイメージがありました。特に、首都圏の電車の中は、通勤・通学者でぎゅうぎゅうにも関わらず、話し声はほとんど聞こえません。近くに高校などのある路線などは、若者の活気に溢れていることもあり、まだいいですが、重苦しい空気と倦怠感が車内を覆い、停車駅に着くたび、吐き出されるように降りていく人々は、まるで日本のため息の様でした。

突然話しかけられて驚きながらも、たったその一言で明るい気分になりました。それでいて、特別その彼と仲良くなるわけでもなく、ほんの数駅の間、話し相手であるだけの関係です。2000年代初頭のアメリカでは、そういうことが当たり前の様にたくさんありました。

2023年の現在、だいぶ変わってしまったのではないか、と様々な国際情勢の情報に接する中、危惧しています。

人々の間には新たな「分断」があります。

そして「元々あった分断」が、「新しい分断」かの様に擬態していることもあります。見えなくとも確かに存在するその亀裂が、超えてはならぬ境界線の様に、人々の素朴な交流までをも断ち切ります。しかしその見えないはずの亀裂が、はっきりと見える形となって現れてきています。これまで書いてきたように、昨今は隠すこともなく堂々と、分断工作がされるようになってきたからです。

状況は日本でも似ています。電車の中を見回せば、ほとんどの人が手元のスマホの画面を眺めています。その画面には、SNSをはじめ、個人的好みの動画、ネットニュース、ゲームなど、一昔前であれば、自宅の部屋の中にしかなかった世界を、公共スペースにまで持ち出して来ている状態です。

そこには技術の進歩による素晴らしい側面もあります。

しかしそれは決して、「私的世界」を「公的世界」に持ち出すことなどではないでしょう。

以前、スマホを眺めながら歩いている若者が、高齢者と正面衝突してしまったのを見たことがあります。

若者は焦り、地面に倒れたおばあさんをどうしてよいか分からない様子でした。幸い、おばあさんはすぐに自力で立ち上がりましたが、若者は狼狽えるばかりで、逆に気を遣っているのはおばあさんの方でした。

よくある中年男の若者批判の話だと思わないでください。「スマホを通じて世界と繋がる」といったような、企業CMなどでよく見かけるイメージがありますが、確かにスマホにはそういう明るい面もなくはありません。一定の注意が必要ですが、外国語の習得のためにインターネットを活用することなどは非常に有効ですし、単純に便利だからです。

しかし、自分の周りに実際にいる人間のことも見えなくなるほど、どこの誰と繋がっているのでしょうか。

私は近年、日本人がどんどん「人」を好きでなくなっていっている様に見えます。違う言い方をすれば、他人に興味が無くなっていってる様に見えるのです。

私には、「人」を好きな人であれば、とりあえずはその人間は信用できる、という様な感覚があります。この人は「人間」が好きなんだなあ、と感じられる人には、なんとも言えない安心感があります。

電車内での現代日本人の姿は、スマホという圧倒的に便利なツールによって、「自分の世界だと自分では思い込んでいる世界」に、『埋没』している姿です。

その結果、社会や公的な世界＝他人との繋がりが、どんどんとめんどくさく感じる様になります。自分の好みが反映される「私的世界」の安心感は、同時に「公的世界」への免疫力や耐性を著しく低下させます。

順応することができないことそれ自体を、個人の自由や権利だと訴え、社会の側に変化を求めることが、まるで当然のことであるかのように振る舞う人も増えました。こんなに恐ろしい分断はないと思います。

「私的世界」を持つことが悪いのではありません。むしろ「私的世界」は大事なものであり、それがないと人はおそらく生きていけません。知的好奇心を満たすものは、「私的世界」の拡大でもあるでしょうし、精神生活を豊かにするのも、私的な世界の範疇であるかもしれません。

しかしそれはあくまでも、「他者」があっての「私」です。

他者の存在を無視して、あるいは見ないようにして構築した世界は、本質的には孤立へ向かいます。自分が他者に対して無関心なように、他者からも関心を持たれなくなるからです。特別な事情のあるケースでない限り、それは十分にあり得ます。

他人がいてはじめて自分がいるという感覚は、日本的といえるかもしれません。英語のPeople（ピープル）やPerson（パーソン）など、「人間」と日本語訳されることが多いと思いますが、日本語の「人間」という言葉のイメージとは少し違います。

「人」という言葉に、「間（ま・あいだ）」という言葉を組み合わせた日本語の「人間」という言葉には、言語学の範疇にとどまらず、言語感覚＝国民性までも感じる、というのは私だけではないはずです。

まず「個人」があって他人がいるとする、欧米をはじめ諸外国の感覚に対し、人と人の間にいるのが自分であり、その様な他者との繋がりの中に個人を見いだす、というところが日本的であると思います。

他者との間にある「相違」や「不和」や「違和感」など、そういったものはすべて、自分を育み、成長させてくれるものである、という感覚さえあります。

そして、「相違」も「不和」も「違和感」も、どんな相手であれ、『互いの繋がり』がなければ成り立たないものです。ゆえに、日本語的な感覚では「人間」となるのでしょう。

似たようなものに、「国」という言い方と「国家」という言い方があります。

日本はまさに一つの家であり、歴史的に外から同化した民族があっても、それを排除するわけではなく融和して日本に組み込むということを繰り返してきており、そのようにして連綿と続いてきた長い歴史を持つ国家＝家である、と言えると思います。

それに対し、英語で国を意味する「state（ステイツ）」や「nation（ネイション）」という言葉には、「契約」という概念が入っています。契約によって成り立っているもの、という概念です。日本語の「国家」には、そのような概念はありません。

第5章でも述べた通り、日本には「近隣諸国条項」という、とんでもなくおかしな法律があるため、遺跡の調査や新しい研究によって発見された新事実を、簡単には公表できないようになっています。特に諸外国にとって、日本の優位性や歴史の長さを証明するような発見は、基本的に公表できなくなっています。そんな馬鹿げた法律があるか、と言いたくなりますが、是非調べてみてください。これも、「自虐史観」の形成、及び「WGIP」の流れの一環であると思われます。

ともあれ、そのような懐の深さを持っていたため、他民族でも仏教でも産業でも、あらゆるものを一旦は飲み込み、それとほぼ同時に解体しより深く理解して、自国の文化へと吸収・昇華させてゆく理解と変容の力があったのだと思います。そしてそれは同時に、そのような国・国民であったからこそ、懐の深い国になっていったのだ、とも言えるのかもしれません。本質的には現代の私たち日本人も、その点は変わらないものであると、私は言いたいです。

他民族にしても仏教にしても、無条件にそのまま受け入れるというのでは、決して良い結果は生まれなかったでしょうし、日本はもしかしたら今のような形では既に存在していなかったかもしれません。日本という国の神話や國體（こくたい）といったものがしっかりと土台としてあった上でなければ、何も受け入れることも、ましてそれを分析してより深く理解することも、おそらく不可能であったでしょう。だとするならば、日本人である私たちが最低限、未来＝子供たちのために理解しておかなければならないことの一つが、自国を知ることであるというのは、非常にはっきりとしたことではないでしょうか。言うまでもなく、自国を知るということが、「食の安全」や「健康」の問題と直結しているということは、もうお分かりのことと思います。

欧米をはじめ諸外国では、まず自己があり、その周りに家族や友人があり、さらにその周りに社会や国がある、というのが一般的な感覚でしょう。日本は、宇宙や自然があり、国家があり、自分の属する地域社会があり、友人や知人があり、父母をはじめとした家族があり、その中で自己というものが形成、あるいは育まれていく、という感覚が一般的でしょう。

つまり、西欧や諸外国では、自己を「原因」と考え、日本的な感覚では自己を「結果」であると捉えます。

このことは、どんなに若い人と中年の人の年の差があろうと、左翼的思想のある人であろうと保守的な人であろうと、日本人ならば昭和生まれも平成生まれも、ある程度同じ感覚なのではないかと思います。そんな風に思える国は他に思いつきませんし、聞いたこともありません。

そのような国に生まれたことや、日本人だと名乗れることの幸せに、私たちはもっと気がつくべきではないでしょうか。なにも海外へ出ずとも、日本を俯瞰して見ることは可能です。そのように意識して、自分たち（日本人）の得意な点や苦手な点を理解した上でスマホやインターネットを活用した時、そこにポジティブでバランスのとれた無限の可能性があるのだと思います。

世界最強だった日本

情報は最大の武器であり、防具です。あるいは、情報収集能力が高いということは、現代では言い換えればある意味、兵法書に精通しているのと同じことでしょう。

アメリカというボディガードを雇うのも、ある程度は効果的かもしれませんが、それよりも自らが戦える方が、圧倒的に重要ではないでしょうか。

元々日本は、世界最強の戦闘集団を持つ国でした。関ヶ原の戦いがあった頃、宣教師と呼ばれるスペインのスパイ達が、スペイン本国に戦況を逐一報告していたことは、すでに述べました。

当時、世界最強と謳われていたスペインは、戦国時代の混乱に乗じて一気に日本を征服しようと画策していました。しかし、アルマダ海戦での大敗による国力低下、さらに、宣教師たちからの数々の報告を受け、結果的にスペインは日本への武力侵攻を諦めたのでした。ほとんどの報告が異口同音に、日本の武士たちの戦闘能力を非常に高く評価したうえ、「これは勝てない」と報告したからでした。時代により見方は異なりますが、つまり日本は、海流や季節風などに守られた島国である上、さらに陸地においては武士による卓越した戦闘集団も擁していました。

巡察使ヴァリニャーノは天正少年使節を引率してマカオに滞在中、マニラ総督宛てに次の様な書簡を送っています。

「日本は何らかの征服事業を企てる対象としては不向きである。（中略）国民は非常に勇敢で、しかも絶えず軍事訓練をつんでおり、征服が可能な国土ではない。」

それゆえ当時、徳川家康は外国では「エンペラー＝皇帝」と呼ばれ、日本は「帝国」と呼ばれていたのでした。

スペインやヨーロッパ諸国の多くは、王国でした。帝国というのは、その上に位置する国の呼称です。そして国王よりも地位が高いのが、皇帝なのです。

そして、その勇敢な武士たちの多くは、平時には農民でした。

今の我々日本人は、どうでしょうか。

自衛隊の方々等以外の、一般人の多くは、そもそも現在、世界で日本が置かれている立場を、理解しているでしょうか。誰が敵で誰が味方なのか、そしてその根拠を明確に言えるでしょうか。

ご存知の様に、アメリカの衰退は近年、年を追うごとに加速しています。仮にもし台湾有事が起きたとしても、日本やアジアの防衛のためになど、もはや参戦する余裕もないでしょう。

現代の日本人は情報収集力という点では、残念ながら、世界でも最下位クラスだと言えるでしょう（情報弱者・情弱）。そのような状態で、誰が敵かも判別できないような無防備な日本を、グローバリズム勢力は、そして諸外国は放っておくでしょうか。

自衛隊の方々の装備や食事環境は、我々一般人が想像する以上に乏しいのが現状であるといいます。待遇が良いとも言えないでしょう。そしてアメリカは前述の通りです。さらに日本は自然災害の多い国です。不安になってしまうことばかりを言いたいわけではありません。こうしたことに目を向けずにきたのが、我々現代の日本人なのです。筆者も偉そうなことは言えません。ほんの数年前まで、ほとんど無知と言っていい状態でした。よく知りもせず、適当に選挙へ行き、なんとなくのイメージで投票して帰ってきていました。自分の持つ一票の重みが、それほど重要なことだと認識せず、むしろ他の同世代の選挙に行かない人々よりは「自分はちゃんと選挙に行っているからまだマシ」という、ちょっと良いイメージすら持っていました。書けば書くほど恥ずかしいですが、それが事実です。

16世紀後半、スペインは武力によって日本を征服することを諦めた後、侍の高い戦闘力を利用して明を征服しようと考えました。同じ様にフィリピンはスペイン人から攻められた折、日本へ助けを要請しました。さらにはそのフィリピンを支配していたスペイン人たちも、支那を攻める際に邪魔だったマホメット教を倒すために日本人を傭兵として雇うことを考えました。スペインだけでなく、同じく日本へ出入りしていたポルトガル人、オランダ人、イギリス人などの宣教師や商人たちも、同じ様に日本の武士の戦闘能力の高さに驚嘆しています。その事実には、西洋人の侵略に日本人傭兵が利用されたこともあるということや、敵対する勢力の双方が日本人傭兵を雇っており、その結果、外国の地で日本人同士が戦う、といったこともあったであろうことが想像されます。

ともあれ当時は、世界中の国から日本の侍・武士が、『地球上で最強の戦闘集団である』と認識されている、というのが常識となりつつあった時代でした。

命がけで日本を守ってくれたのは、近代の英霊たちだけではありません。

何百年も、あるいは千年以上も前から、日本は幾度となく諸外国からの脅威に晒された過去があるのです。その都度、日本の窮地を救った人々は、なぜそのように命をかけて立ち向かうことができたのでしょうか。

現実的かどうかはさておき、今の日本に大群が武器を持って攻めてきたら、立ち向かう日本人はどのくらいいるでしょうか。国内にいる多くの外国人がある日突然、テロや武装蜂起をしたら、その場にいる日本人のどのくらいが、適切に対応できるでしょうか。

これまで命がけで日本を守り、歴史を繋いでくれた祖先たちは、どのような気持ちで私たちを見ているでしょうか。その声を直接聞くことはできません。しかし、

『お天道様は見てござる』

それだけでよいのです。そう思い至れば、たいていの感情は律することができるし、今を生きていることに感謝と責任感も生まれます。それができるのが日本人だと、私は思います。

『天は見てござる』、『腹六分』、『武士は食わねど高楊枝』、『おかげさま』

どれも英語に訳すのは難しい、日本人的感性を表す良い言葉だと思いませんか。

語弊を恐れず言うならば、現代は、日本に生まれたから、即ち日本的感性を持っている、とは言い難い時代です。日本の「文化」と「伝統」、そして「歴史」を認識し、自覚を持つことで、本当の日本人となっていくのではないでしょうか。その「文化」と「伝統」は、私たち日本人を決して裏切りません。確実に私たちの気骨となり、支えてくれるものであると思います。

日本と諸外国の神話の違い

前述の通り、日本の小中学校の教科書には神話の記述がほとんどありません。日本と諸外国の神話の違いは、簡潔に言うと「神様」や「自然観」や「宇宙観」、ひいては『死生観』などの、実人生における物事の捉え方の違いにあると思います。非常にざっくりと言うと、ギリシャ神話や聖書や、中国神話など、基本的にはどれも神が世界（自然）を作り人間を作ったとされています。

しかし日本の神話は、『まず自然（宇宙）があり、そこに様々な役割を持った神々が生まれ、人間はその神々の子孫である』、という捉え方です。

つまり、日本の神観や自然観が多くの他の国と大きく違うのは、根本からして捉え方が違うからなのです。

そして、いくらキリスト教や儒教が日本へ入り込もうとしても、結局は人々に浸透しなかったのは、その世界観が根底から違うためです。それはキリスト教や儒教が良いとか悪いとかいう話ではなく、単に日本には、それ以上に「日本の気質に合う信仰の形がすでにあった」、ということです。

それをわざわざ捨てて、新しく何かを取り入れる必要はなかっただけの話です。

そして日本の神道が諸外国、特に欧米の宗教とは一線を画すのは、それを他国の人間に強要したり強制することがないということです。しかし、朝鮮などに強要したことがあるじゃないか、と言う人もいるかもしれません。本書はそれらの問題を取り上げるものではありませんので、詳述はいたしませんが、しかし、当時を生きた朝鮮の人々の証言などを調べていくと、それが反日教育（運動）の捏造したイメージであるということが分かる、というのが筆者の現時点での考えであるとだけ述べておきます。僭越ながら、ご興味のある方は、巻末の参考図書などをご参考ください。

さて、多神教と一神教の違いをここで述べる意図はありませんが、神道が、本質的には宗教というよりは哲学や信仰そのものと言ったほうがしっくりくる部分がある、と私は感じています。

なぜなら、創始者がいるわけでもなく、聖書や経典があるわけでもなく、戒律などもないからです。

基本的に決まり事なども何もなく、神社などにいくと、たまに参拝方法に関する注意書きなどがあったりしますが、それは後世に便宜上仕方なく設置されたものです。もちろん参拝方法のような「マナー」はありますが、それらは感性を働かせれば、ある程度は誰にでも自ずと分かるものです。

元々は神殿などもなく、山や岩や木や滝や川や池など、自然そのものに手を合わせていました。今でも、古い神社や歴史ある神社の奥宮・元宮などは、昔ながらの御神体をそのまま祀っている場所がたくさんあります。そのような場所では、現在でも山や森が禁足地になっているようなところもあります。

広義には、ハワイやアメリカなどの原住民と同じ、精霊信仰（アニミズム）と呼ばれるものの一種と捉える研究者もいます。しかし、決して日本の優位性を訴える意味ではありませんが、古くから続く伝統と文化を、最先端の先進社会と違和感なく本当の意味で共存させることに成功しているのは、特に日本であると言えるのではないでしょうか。そしてそれを我々日本人が誇ることは、決して傲慢などではなく、自尊心を持つためにも大事なことであると私は思います。そうして、悠久の時を受け継いだその川の流れの先頭に自分がいるのだ、と自覚することで、我々同時代を生きる日本人は団結できると思うのです。

団結していない人々が、どうやって国際社会に貢献できるでしょうか。

『日本人は日本人であるというだけで団結できる』、私たちはそんな恵まれた国に生まれた人々です。

だからこそ私たちは、そのことを自覚して、心明るく、自信を持って健康的に、世の中の欺瞞と対峙していける、そんな風に私は思います。

私たちが残す足跡は、常に最新の歴史なのです。

国家の点穴である「食の問題」

私は無農薬・無肥料で野菜を作る経験を通して、自分の意識が少しづつ変化していくことに気が付いていました。

肉や魚などは買ってくるしかないですが、ほんの少しであっても自給できる術を身につけたということが、精神的にも物理的にも大きな変化を生んだのでした。

そして今までの自分は気づかぬうちに、自らの行動を制限してしまう様なところがあったことに気がついたのです。

意図的に方向付けられた情報を、そうとは知らずに鵜呑みにし、その結果、体や心にどんな影響があるのかも知らぬまま、自分で選んだつもりが選ばされていたのです。商品の選び方、行動の選択、物事の解釈などです。

食品を例にとると、自宅周辺のスーパーや商店に流通しているものから選ぶしかない、と当たり前のように思っていました。それが、自分で野菜を作り、様々な知識がついたことで商品の選び方が変わりました。何に気をつければ良いかが、なんとなく分かるようになってくるのです。

どこでどのように生産され、どのようにして店頭まで運ばれてくるのか、といった食材や食品が自分の手元にやってくるまでの物の流れや、生産される「過程」を意識するようになったのです。

外国産のお肉はなぜ安いのか、お店に並んでいる野菜は、なぜどれも「同じ大きさで同じ色味で同じ形」に均一に揃っているのだろうか、ニンジンや大根の葉っぱは、どうして切り落とされた状態で売られているのか。ニンジンの葉っぱも大根の葉っぱも美味しく食べられるはずですし、栄養価も高いもののはずです。

さらに、自ら情報を収集する習慣を身に付けたことによって、これまで自分が、無限に溢れる情報に振り回されていたことに気がつきました。

自分ではそんなつもりはありませんでしたが、テレビのニュースを〝しっかり〟チェックして、新聞を「ちゃんと」読んでいたつもりでした。しかしそれが逆効果なのでした。

新聞や大手のニュースをチェックすればするほど、より正確に言えば、その内容を鵜呑みにすればするほど、洗脳の度合いが深まるとも言えます。もちろん、何もかも全ての情報が嘘である、とは言いませんが、自分で物事を考えることができなくなっていきます。

いわゆる良い大学を出ていたり、自分の考えや物事に対する視点に自信を持っている人ほど、要注意な傾向があります。主流派の意見に、違和感を感じることができない傾向があるからです。日本の教育・アカデミックな世界は、これまで示唆してきたように、実はかなり偏っていると聞きます。そして、いわゆる教養の高い人であればあるほど、よもや自分が左翼的思想および思考の持ち主であるなどとは、露ほども思っていません。日本は、特に戦後以降の教育は完全な左翼教育ですので、戦後から平成くらいまでに学校教育を受けた世代などはその傾向が強い印象です。今は令和の時代になりましたが、これからはどうでしょうか。まだ始まったばかりなのでわかりませんが、前章で述べた教科書の問題を見るかぎりは、あまり変わらなそうです。

近年では、一部の団体による、歴史認識を正すための新しい教科書を作る動きもありますが、ほとんどの市区町村は、未だ左翼色の非常に強い偏った教科書を採用し続けています。

自分が大手メディアの情報に振り回されているかどうかは、第2章の「我々は何を見せられているのか①～BLM運動について～」と「我々は何を見せられているのか②～ウクライナ戦争について～」の内容を、この本を読まずとも知っていたかどうかで、おおよその判断がつきます。第3章の「ダボス会議（世界経済フォーラム）」や第5章、第6章などについても言えるでしょう。

この本をお読みになった方の多くは今後、食品や嗜好品を選ぶ際、これまでとは違った基準で選ぶでしょう。特に加工品など、第1章で書いた「レンダリング」や「ファスト・フィッシュ」のことを思い出してください。食材には基本的に表示されていなくても、表示義務そのものも非常に曖昧な面がありますし、ものによっては無いに等しいわけですから、産地など気をつけてください。

防腐剤や防カビ剤、発色剤など、薬の量はたいてい、産地から遠ければ遠いほど増える傾向にあります。

海外産の果物などは、それだけで余計に防腐処理などされていてもおかしくありません。遠い距離を運ばれてくるので当然です。さらにはその間、どの様な衛生管理がされているかも分かりません。

そしてそのような、消費者が買いたくなくなるような情報を、わざわざ表示して売られることはまずないでしょう。

よく分からない名前の添加物は、要注意です。

甘味料や増粘剤、香料や加工○○など、どれもイメージの湧きにくい曖昧な名前です。その成分・構成物はなんなのか、知らないから口にできるのかもしれません。

それらを摂取しても、すぐに体調に変化があるわけではありません。

ですから多くの人は注意を払わなくなるのですが、それこそが巧妙にできた手口です。

しかし体内に長年摂取してきたものは、当然何かしらの影響を及ぼします。体だけでなく、心や思考や、その人の性格にまで及ぶ場合もあるでしょう。

そもそも表示がされていないという事実すら知らない場合、私たちは厳密に言えば、自分が何を食べているのかも分からずに食べていることになります。

1973年、当時のバッツ米国農務長官は、「日本を脅迫するのなら、食料輸出を止めればいい」と豪語したと言われています。

また、ウィスコンシン大学のある教授は、農家の子弟向けの講義において、「食料は武器であり、標的は日本だ。直接食べる食料だけでなく、日本の畜産のエサ穀物を、アメリ力が全部供給するように仕向ければ、アメリカは日本を完全にコントロールできる。これがうまくいけば、同じことを世界中に広げるのがアメリカの食料戦略となる。みなさんそのために頑張ってほしい」と発言したそうです。

そしてこのアメリカの国家戦略は、戦後一貫して実行されてきました。(『世界で最初に飢えるのは日本　食の安全保障をどう守るか』鈴木宣弘　講談社)

そもそも、日本は食料を自給できない国なのでしょうか。

そんなことはありません。かつて日本は鎖国をしていましたが、そもそもその当時なぜ鎖国ができたのかは、食料を自給できていたからです。

また、資源の輸出入がなくなったため、国内でのあらゆる分野での研究と工夫が促進しました。

その結果、様々な産業水準が劇的に高まった時代だったといわれています。さらに昨今では研究が進み、当時の日本は世界最高の循環型社会だったということが分かってきています。江戸の町ほど徹底的にエコな町はなかったのではないか、と言われるほどです。

「食」を牛耳られれば、ぐうの音も出ませんが、それだけではありません。

第2章で書いた通り、日本は世界的に見れば「旧敵国」なのです。国連憲章にある『敵国条項』は今尚、残っています。それを中国などの国が悪用しようと思えば、現実的かどうかの議論は別として、理論的には可能なのです。

中国が尖閣や台湾などの問題で利用するだけでなく、ロシアが北方領土問題でそれを持ち出してくることも、です。

まず、そのことを知っている日本人が少なすぎます。日本のことを敵視している組織に対し、友好的なイメージを持っているのが現状です。

もちろん、それは彼らの作戦通りなのですが、外国人に対して「スパイ防止法」もなく、なぜか日本人の税金で賄われている国民健康保険が旅行者を含む外国人に適用され、生活保護まで面倒を見てあげる国がどこにあるのでしょうか。

日本人の税金がなぜか外国人に使われているのです。

このようなことは、ほとんどの日本人が知らないことです。なぜ知らないのか、それは簡単なことです。

どのように情報を収集し分析したらよいかが分かっていないからです。何が本当で何が偽物の情報なのか見極める方法、子供の頃にそういう基本的なことを、教えてくれる大人がいません。テレビのニュースや報道を見なさい、新聞をちゃんと読みなさい、などといった子供へのアドバイスは、教育の観点から言えば特によく考えるべきでしょう。

江戸の養生

「薬補は食補に如かず」という言葉があります。

かつて、食養生は長期的に薬に勝ると考えられていました。東洋医学的な食に関する効能については、「本草学」という学問が、東アジアをはじめ、様々な地域の人々により研究されてきました。日本の江戸時代には、「養生訓」の著者として有名な貝原益軒や、天才、または異才の人として知られた平賀源内などが、本草学者として有名です。

本草学では、あらゆる食材を「寒・熱」と「五味」に分けて考えます。

「寒・熱」とは、その食材が身体を冷やすのか温めるのかを表し、「五味」は「酸苦甘辛鹹」と呼ばれる「すっぱい」「にがい」「あまい」「からい」そして「鹹」は「塩辛い・しょっぱい」を表す、五つの味のことです。

例えば、辛いものには発汗作用が、酸っぱいものにはひき締める作用があるとされています。しかし、この五味のバランスが偏ると体に害をなすと考えられ、いかに体に良さそうな効果であっても、いたずらに特定の作用ばかりを求めたりすると、かえって体によくないので注意が必要と説きます。

そのため、「何を体内に取り入れるのか」も大切ですが「何を体内に取り入れないのか」という、引き算の発想が食材選びの要なのではないでしょうか。

また、本草学では食材に「宜（ぎ）」と「禁（きん）」の二面があるとされ、「宜」とは、ある症状の人にとっては良いもので、「禁」はその逆に害となるものです。

この考え方にも、同じものを偏って食べない、という観点が見られます。例えば、ネギには発汗作用があり、風邪に効くと考えられていますが、一方で虚弱な人にとって発汗は「気」の消耗となり、あまり良くないとする考え方もあります。

「食養は一日にしてならず、小益を積み重ねるものなり」という言葉があるように、何事も個人差を考慮した上でのバランスが大切なのでしょう。

体質というのは人それぞれです。その違いは、人種によるもの、遺伝的なもの、あるいは食習慣や生活習慣などの後天的なものなど、様々でしょう。

江戸時代後期、水野澤齋（みずのたくさん）によって著された「養生辨（ようじょうべん）」は、現代から見ると飛躍した記述も多いとされていますが、その記述には具体的に応用しやすいものも多く記載されています。

「養生辨」では、人の体質を三つに分類しており、壮健家、虚弱家、疾病家に分けられます。

野菜類は病気の人以外は、気にせず食べて良いとされていますが、肉や魚には気をつけるべきであり、それらは上品（じょうぼん）・中品（ちゅうぼん）・下品（げぼん）に分けられ、体質別に合う・合わないがあるとされています。具体的には、

壮健家は生まれつき健康で身体が強く、下品の食材を食べてもある程度大丈夫。

虚弱家ははっきりとした病気はないけど、生まれつき身体が弱く、何となくいつも調子の悪い人で、下品の食材を避けるべき。

疾病家は既に病気のある人で、下品と中品の食材を避けるべき。

とあり、さらに牛や豚などは「獣類一切みな下品とす」とされ、四つ足の動物はすべて下品として扱うとしています。

さて、江戸時代の頃の日本は、人々の生活が次第に豊かになっていくなかで、健康や養生に関する考え方も変わっていきました。

按摩で体調を整え、朝夕に灸をすえ、一ヶ月ほどかけて湯治に出かける人も少なくなかったといいます。重病になれば、即命取りとなる時代のことです。

しかし、特に江戸中期以降、商品経済や流通が地方にまで行き渡りはじめ、その結果、次第に「健康も金で買うもの」という意識が、人々の間に芽生えはじめたともいわれています。

食養や薬草、按摩法といった、自分でできることは本来、自分で調べて自分でやるのが当たり前のことであったはずです。それが次第に、「この薬を買えば良い」「何かあればこの医者に診てもらえば良い」といった類の意識へと変わっていき、その様な意識の変遷の中で、「仁術・世のため人のため」であったはずの「医術」が、「算術・お金儲け」へと変わっていくケースも起こりはじめたのかもしれません。

そのような時代にあって、エリートであった道を捨て、庶民の治療に専念したといわれている平野重誠（ひらのじゅうせい）は、1832年（天保3年）、日本初の家庭医学・看護・介護百科といわれる「病家須知（びょうかすち）」を著しました。

現代では「忘れられた名著」とも呼ばれ、先人の予防医学の知恵が詰まっているとされており、その内容は、日々の養生、食生活、伝染病の処置から、妊産婦のケア、助産法、医師の選び方まで、非常に多岐に渡っています。

また、「病家須知」には、江戸時代後期の剣客であり天真伝兵法（天真白井流、または天真流とする説も）開祖の白井亨（しらいとおる）の弟子でもあった平野重誠が重視していた「五事調和（ごじちょうわ）」という、禅の思想が根底にあるとされ、五事とは「食事」「睡眠」「呼吸」「心」「起居動作」のことであり、「起居動作」とは寝返りや起き上がり、座り方や立ち上がり方などの基本動作を指し、体の使い方というような意味であると考えられます。

また、当時の養生訓として、「睡眠は目の食事である」という考え方もあった様で、現代の私たちよりも、様々な事柄同士を関連付けて健康法として捉えていたようです。

食養生の作法として面白いものの一つに、食べる順番があります。

サラダなどから食べた方がダイエットに良い、などといった通説が、決して鵜呑みにしてはいけないものであるということは、もう読者の皆様には想像のつくことと思います。『養生大意抄』によると、ものを食する際には、胃にもその準備が必要である、ということです。そのため、いきなり固形物から食べ始めるよりも、白湯や温かいお茶を少し飲むか、汁物を最初に口にして、お腹をうるおしてから食べ始めると良い、としています。特に空腹時などは、味噌汁から口をつけることが肝心である、ということです。最初に暖かい汁物を採って、胃に準備をさせてから食事を開始するというのは、経験的にも非常に納得のいくものです。

さらに『養生大意抄』によると、東洋医学には、先天の気と後天の気という概念があり、先天の気とは両親から授かった生まれ持った気のことであり、後天の気とは飲食物から得た気のことを言うそうです。先天の気は腎にやどり、後天の気は脾胃と関係が深いといいます。人体はこの二臓を本とし、腎は五臓の本であり、脾胃は滋養の本である、とも。

情報戦

本書も終わりに近づいてきました。最後に、巷に溢れる多くの「情報」が、どのようにコーディネートされているのか、どのような意図を持って私たちの元へと送り込まれたものなのか、その歴史を踏まえて書いていきたいと思います。

唐突ですが、宮本武蔵の五輪書、その「水の巻」にこうあります。

「観見二つの事、観の目つよく、見の目よわく、遠き所を近く見、近き所を遠く見る事兵法の専也。」

心である観の目と、物理的な目である見の目について、物理的な目に頼りすぎるな、ということを表しているのでしょう。

現代の私たちに当てはめると、遠くのこと（遠き所）とは、国際情勢や普段の生活には直接関係なさそうな物事などのこと、と言えるでしょう。

そうしたものこそ、よく調べよく知り、その延長線上に我々の生活があるのだから、現実的な問題としてよく目をこらしましょう、ということができるかもしれません。

近くのこと（近き所）とは、すでに私たちの元へとやってきている「情報」のことと言えるでしょう。

特に、こちらから進んで得ようとしなくとも入ってくる情報などが、それに当たるでしょう。

その代表的なものが、テレビや新聞や流行や噂、CMや看板などの広告や、電車やタクシーの車内で流されている映像、映画やアニメや小説などに紛れ込んだ情報や特定のイメージなどでしょう。

そうした身近な情報は、言葉や見かけ通りに受け取らずに一定の注意を持って解釈に当たりましょう、という風に考えることができると思います。流行とは「口車」とも言えます。

また、「地・水・火・風・空」で構成される五輪書の最後の巻にあたる「空の巻」では、「心意二つの心をみがき、観見二つの眼をとぎ」という表現が用いられており、その他の巻にも、心や意識について述べられている箇所がいくつもあり、その多くが戦いの時のみならず日常において、またあらゆる分野・場面にも同様に言えることである、と説かれています。

さて、1891年、オーストリアのウィーン。エドワード・バーネイズという人物が、ユダヤ人の両親の下に生まれました。後年、ナチスの台頭を受けてアメリカへと渡っていきます。

やがて彼は、広報・宣伝の専門家として確実に実績を積んでいきます。

CBSやカルティエ、ゼネラル・エレクトリック（エジソンの設立した米国の電機メーカー）やプロクター・アンド・ギャンブル（略称はP&G）、米国公衆衛生局、ダッジ・モーターズ。そして、街中で行われたアメリカン・タバコ・カンパニーの「ラッキー・ストライク」のデモンストレーションは、「torches of freedom（自由の灯火）」のフレーズで有名です。

世の中が戦争へと進む中、政府や軍部は彼に目をつけます。そうして彼は、戦争をするために世論をコントロールしたいと考える人々の支持のもと、大いにその手腕を発揮していきます。

「世の中の一般大衆（マス）が、どのような習慣を持ち、どのような意見を持つべきかといった事柄を、相手にそれと意識されずに知性的にコントロールすること――は、民主主義を前提にする社会において非常に重要である。この仕組みを大衆の目に見えない形でコントロールすることができる人々こそが、現代のアメリカで『目に見えない統治機構（インヴィジブル・ガヴァメント）』を構成し、アメリカの真の支配者として君臨している。」とは、1928年に出版されたバーネイズの著書の冒頭で述べられていることです。

そのあとにはこう続きます。

「私たちは多くの場合、その名前すら聞いたこともない人々によって、統治され、考えを一定の型にはめ込まれ、好みを決められ、正しい考えを規定されている。民主主義という体制はこのようにして成り立っているのだ。」「ある特定の状況を作り出し、何百万もの人々の心のイメージを作り出すこの活動は、非常に一般的に行われている。」

もうお気付きの方もいると思いますが、かつてエドワード・バーネイズが確立し用いた方法、それが『プロパガンダ』と呼ばれるものです。

「かつては支配者がリーダーだった。支配者は何でも自分の思いどおりに、簡単に歴史の道筋を決めていた。しかし近年においては、この支配者たちの後継者となる人々、すなわち社会的地位や能力によって権力を得ている者でさえ、もはや大衆の承諾なしにはやりたいことができなくなっている。彼らは大衆の同意を取りつけるために、ますます効果的にプロパガンダを利用する。このようなかたちで、プロパガンダは今も存在する。」（『プロパガンダ［新版］』エドワード・バーネイズ 著、中田安彦 訳・解説　成甲書房）

分かりやすくかつ重要と思われたので、翻訳版の原文をほとんどそのまま引用しましたが、この「プロパガンダ」という本が書かれた当時の20世紀初頭ではなく、まるで現代のことを言っている様に感じるのは、私だけではないはずです。

バーネイズは、ＰＲコンサルタントの仕事を例に、プロパガンダの方法はコミュニケーション手段そのものと同じくらい多様である、と言っています。

口コミ、手紙、演劇、映画、ラジオ、講演会、雑誌、日刊紙など、と書いていますが、それは１９００年代初頭のことであり今日に当てはめれば、ＳＮＳをはじめインターネット、テレビ、街中や電車やバスやタクシーの中で流される動画や広告など、非常に多岐に渡ります。

バーネイズによると、ＰＲコンサルタントの仕事は、まずはじめにクライアントにどんな問題があるのかをリサーチして分析します。そして提供しようとしているものが、大衆に受け入れられるか、あるいは「どうすれば受け入れさせることが可能か」を確認します。

その次の仕事は、大衆を分析すること。ターゲットとなる集団と、そこへ近づくためのパイプ役となるリーダーは誰なのかを調査します。

集団には社会的集団、経済的集団、地理的な集団、年齢的な集団、宗教的、言語的、文化的な集団など、さまざまな集団が存在します。それが目に見える形である場合もあれば、傍目にはまったく分からない形で存在していることもあるでしょう。特に政治的な立場や思想など、また病気やその予防に関する考え方、本書の主要テーマの一つである「食の安全」についての考え方などは、見た目では分からないものばかりです。そのような複雑な大衆の意見や習慣等を分析するには、そのための専門家が必要である、とバーネイズは仄めかしています。しかし、それは当時戦争、特にナチスによって悪くなってしまった自分の仕事に直結する「プロパガンダ」という言葉のイメージを払拭するため、そのような言い方をしたのではないか、とも考えられます。いずれにせよ、ウィルソン大統領直属の広報委員としても働いていた彼の言葉には、それなりの重さがあると言えるでしょう。

バーネイズは当時から、「広報・宣伝」についても、それを「プロパガンダ」と呼んでいました。戦時下の「戦争プロパガンダ」のイメージがついてしまった「プロパガンダ」という言葉を、彼はあえて本のタイトルにしました。彼はその分野の専門家であり、死活問題であったためです。言いかえれば「プロパガンダという優れた技術をプロパガンダする」ためでした。そうしてその本の中で、プロパガンダが戦争だけでなく、経済活動にも、政治活動にも、福祉や教育など様々な分野で役に立つ、と力説したのでした。

さらに、バーネイズは多数ページに渡って、広報・宣伝に関わる者の倫理について注意深く言及しています。

その点においては、バーネイズ自身をプロパガンダするための本でもある、と言えるでしょう。

彼はその様な自身の立場を、やはりPRコンサルタントという職種になぞらえて、「顧客企業との関係では単なる代理人にすぎないものの、一般大衆の目から見れば、PRコンサルタントというのは、クライアントと一心同体の関係にある。」と述べています。そして、その後には「PRコンサルタントは、世論という法廷で申し立てていながら、同時にその法廷の判断や行動に変化をもたらそうとしている（後略）。」と続きます。

「世論という法廷では、PRコンサルタントが裁判官であり陪審員である。」と。

その様に述べた上で、バーネイズは注意深く繰り返します。

「PRコンサルタントは（中略）公正であるべきだ。その仕事は大衆を騙したり、たぶらかしたりするためのものではないことを、ここでもう一度述べておく必要があるだろう。」

権力者の側に立って活動したジャーナリストや言論人の中には、晩年に権力者を非難する立場へとスタンスを変える者もいます。世論の形成を行なったバーネイズの著書もまた、プロパガンダの負の側面、「戦争プロパガンダ」などの彼自身が関わってきた「プロパガンダ」についての自己批判などには、ほぼ触れられていません。因みにバーネイズの著書は、ナチスの宣伝大臣、ヨゼフ・ゲッペルスなどにも愛読されたといいます。ユダヤ人を迫害したナチスのプロパガンダは、ユダヤ人のバーネイズによって編み出されたものであったのです。

我々が留意しておかなければならないのは、バーネイズの紹介している様な「プロパガンダ」の技術を、効果的に利用できるのは、基本的には豊富な資金を持った大企業だけであるということです。ＳＮＳをはじめインターネットが普及した今日では、だいぶ状況は変わってきたと言えますが、本質的には同じでしょう。

ある研究をした企業が、実際に素晴らしい研究結果を得たとしても、その証拠となるデータを集めるにはそれなりの数が必要になるのと一緒です。その点において、資金力とネットワークを持つ大企業には負けてしまうのです。そうすると、より多くの「研究データ」を採集できる大企業の方が、正しいとされてしまうのです。同じだけの資金力があれば、それを覆すだけのデータが得られたとしても、実際にその元手がなければ、どうしようもないことです。

やがて時代は経ていき、「プロパガンダ」は別の名前を持つ様になります。

それが「ＰＲ」という言葉です。ＰＲ事業とか、広報・宣伝・広告の現場でよく使われる「Public Relations（パブリック・リレーションズ）」の略「ＰＲ（ピー・アール）」です。

そして「プロパガンダ」という言葉は、よくないイメージだけを持った別の言葉として、今日では主に政治や国際情勢の分野で使われる言葉となったのでした。

バーネイズはフロイトの心理学なども用いて、「プロパガンダ」を体系化したといわれています。また、彼の用いた「タイイン」という手法は、現在も「タイアップ」という名で知られています。そしてそのユダヤ人心理学者であるジークムント・フロイトの妹アンナと、フロイトの妻マーサの弟エリーが結婚して生まれたのが、エドワード・バーネイズその人でした。つまり、バーネイズはフロイトの甥だったのです。「広報の父」として知られるバーネイズは、ライフ誌の「20世紀の最も影響力のあるアメリカ人１００人」の一人に選ばれています。

彼が全米に広めた習慣として、朝食にベーコンを食べるというものがあります。他にも、フッ素を推進する人々や女性の喫煙習慣を広めたい人々などの、強力な宣伝担当としても成果を出しました。彼が世に与えた「ある特定の印象」はきっと、探せばもっとあるでしょう。それは現代においても、いつの間にか形成された「常識」や「習慣」として、私たちの日常の中に紛れ込んでいるかもしれません。そしてその「常識」や「習慣」が、いつどこで作られたものなのか、私たちは知りません。

世の中に溢れている『情報』は日々増え続け、複雑化している様に見えます。しかし、本当にそうでしょうか。インターネットが普及し、多くの人にとって、ＳＮＳが日常生活と切り離せないほどにまでなりました。しかし、画面に何が表示されるかは、アルゴリズムによって最適化され、観覧履歴や検索履歴などからＡＩによって推察され、「おすすめ」として表示されます。ある種膨大な「履歴」の総和とも言えるビッグ・データは、活用すれば確かに便利なものでしょう。しかし同時に、管理・コントロールされる対象として、私たちの言動が記録されている、とも言えるかもしれません。大げさに聞こえるかもしれませんが、「そういうつもりで」ビッグ・データを利用している人々はいるでしょう。実際にそれが思想統制や言論封殺のために用いられていることは、すでに本書で述べました。「日々増え続け複雑化している様に見えるけど、本当にそうだろうか」と書いたのは、ほとんど無限に増えていくあらゆる種類のデータは、本当に必要なものだろうか、と思うからです。私たちが本当に欲しているものが、インターネットやバーチャル空間の中に、そしてそれらを通して生まれる体験の中に、果たしてどれほど存在しているだろうか、という素朴な疑問です。

食の安全や健康に関する情報も、調べればほとんど無限に出てきます。しかし、その中で自分に本当に有益なものがどれなのか、判断することは難しいでしょう。情報が玉石混交であるのみならず、結局はその情報をなぜ信じるのかは自己責任であるということと「自分はなぜこの情報を信じるのか」という問い、その二つを忘れてしまいがちだからです。

この本をお読みになり、巻末の参考図書一覧の中から一冊選んで読んでみよう、と思われる方もいるかもしれません。あるいはこれまで通り、特に食習慣なども何も変えることなく過ごす方もいるかもしれません。『食の安全』と『健康』を確保するには、『情報』に強くならなければいけません。

少なくとも『情報弱者（情弱）』などと言われる状態からは、抜け出さなければならないでしょう。何から始めたらよいかは、人それぞれでしょう。小麦の摂取を減らすとか、乳製品や甘いものの摂取を減らすとか、私はその様なところからはじめました。完璧を目指すのではなく、無理なくできる範囲から。そうでないと続きませんし、食べることがストレス発散や楽しみの人もいるでしょう。そのような意味においても、本書の内容を鵜呑みにして、食事の仕方を無理やり変えるのではなく、自分で調べて、納得がいき、さらにはそうしたいと思えてこそ、無理なく続けられると思うからです。

私たちが自分のこと、家族や友達や知人、そして日本という国家、世界、自分たちの子供や孫の世代のことを考えるとき、食べたものでできた体とその影響を受けた心で考え行動します。未来は歴史です。歴史は過去にばかりあるものではありません。過去も未来も、今まさに私たちが作っているのだと私は思います。長らくお付き合いいただきありがとうございます。この拙い文章で汚された一冊が、読者の皆様にとって、ほんの少しでもお役に立てたならと願いつつ筆を置きます。

あとがき

結びにかえて

本書「脱・情報弱者」を御読みいただき、ありがとうございます。

我ながら、ストレートなタイトルをつけたと思います。本書執筆の最大の目的のひとつが、「情報弱者」という概念を広めることと、「現代を生きる我々日本人は情報弱者である」という事実とその認識を広めることでした。そのために、とにかく分かりやすいタイトルをと思い、そうしました。

この本の執筆と並行して、まさに今準備していることがあります。それは出版社の設立です。

出版や編集やその他、本にまつわる一切の仕事に関して完全な素人の私は、まず一冊目の本は自分が書いて出そうと決めていました。初めての製本でひとさまの著作をなんて、ちょっと気がひけるというのもあったからです。

そうして手探りで準備を進めていく中で、段々と畑に行くこともできなくなり、一時期は食べきれないほど収穫できた私の小さな畑は、雑草だらけになってしまいました。そんな中、本文自体はなんとか一応の形にはなったと思いますが、私にとってはじめて書いた本として無事に出版できることを願いつつ、このあとがきを書いています。

また、出版に向けてあとがきも含めほぼ全ての本文を書き終えた段階で、あるニュースが飛び込んできました。それは、私の尊敬する脚本家・山田太一氏の訃報です。


本書の内容とは一見関係ないように思われるかもしれませんが、私にとって山田太一さんは、お会いしたことこそありませんが、長年敬愛の念を抱いてきた方です。

ドラマ『ふぞろいの林檎たち』、『岸辺のアルバム』、『早春スケッチブック』などの原作・脚本で知られる日本を代表する名脚本家です。

長年、ドラマ、映画、それらの脚本、エッセイ、小説、インタビュー記事や映像などを通して、私は山田太一さんと密かに文通でもしているような気分でいました。そんな感覚は、ファンの方ならばきっと共感してくださるでしょう。

台本や著作を一生徒のような気分で読み耽ったこともあります。ここ数年はあまりメディアに登場されず、一ファンとしてのんびりと待つ気持ちでおりましたが、まさか施設に入られていたとは知りませんでした。

私が色々と言葉を重ねても、氏の言葉の足元にも及びませんから、是非直接氏の作品に触れていただけたらと思います。特に若い人は活字から離れている人が多いでしょうから、読みやすいエッセイなどから入ってみてはいかがでしょうか。私が特に印象に残っている氏のエッセイの一つに『運動会の雨』というものがあります。河出文庫の「山田太一エッセイ・コレクション 昭和を生きて来た」に収録されています。長い文章でもないので、ここで紹介したいのですが、このあとがきに全文掲載するには流石に紙幅を要しますので、是非前掲の書をお手に取っていただいて、氏の言葉を直接受け取っていただけたらと思います。とした上で、一部分だけ引用させていただきます。

「不都合は克服すればいいというものではない。不都合や支障が、どれだけ私たちを豊かにしたり深めてくれたりしているか分らない」（運動会の雨「山田太一エッセイ・コレクション 昭和を生きて来た」より）

心より氏のご冥福をお祈りいたします。

さて、この本では、様々な国、様々な人種について、少なからず触れました。言うまでもなく、その国の政権・政治と一人一人個人とは別のものです。どの国にも、悪人もいれば善人もいます。そして、その中で立派な人物というのは必ずいるものです。

また、私自身まだまだ勉強中の身であり、それはこれからも永遠に続くことと思います。そのため、事実誤認や筆者の勘違い等ありましたら、ご教示いただけますと有難く存じます。

私はかつて束の間、アメリカにいたことがありました。ニューヨークにいた最初の頃は、マンハッタンのスパニッシュ・ハーレム近くの寮から毎日、語学学校へと通っていました。寮といっても、実際には一般の人も住めるアパートの様なところでしたので、同じ階には、遠い州から出てきたユダヤ人の大学生や、中南米やヨーロッパやアジアからやってきた留学生、アメリカ人のおじいさんなども住んでいました。

ユダヤ人の大学生とはよく一緒に食事をしました。学校から帰ると廊下で鉢合わせることがあり、そのまま一緒に晩御飯をつくって食べることもありました。彼はユダヤ教について色々教えてくれましたし、私も色々と話しました。今よりもずっと拙い英語でしたから、言いたいことの半分も言えなかったと思います。

ニューヨークの人の会話は、他の州から来たアメリカ人にとっても、早口で聞き取りづらい、と彼はよく言っていました。ゆっくりと優しい口調で話す田舎育ちの彼の英語は、まだまだニューヨークの英語に慣れていなかった私には、どこかほっとするものでした。そのせいか、私のユダヤ人に対する印象というのは、その後しばらくの間、穏やかで素朴なイメージが漠然とありました。

どこの州であったか忘れてしまいましたが、彼の出身地はニューヨークからはかなり遠い場所のようでした。故郷にいる母親のことをいつも心配し、実家の様子が気になると言っていました。マンハッタンという大都会に馴染めず、都会特有の孤独を感じている様子は、他の多くの学生と同じでしたし、私が初めて東京で一人暮らしした時と、似た感覚だったのだろうと思います。しかし私の感覚では、ニューヨークのマンハッタンのそれと東京のそれとは、だいぶ訳が違いました。

当時の私には、ユダヤ人に関する知識はほとんどありませんでした。おそらく、都市伝説のようなレベルで、ロスチャイルドとか、フリーメーソンとユダヤの関係がどうのこうのという様な話を、聞いたり読んだりしたことがある程度だったと思います。それと、日ユ同祖論のような類の本を読んだことがある程度で、良いイメージも悪いイメージも無く、ほとんど何も知りませんでした。

そもそも、それまでの人生で、つまり日本に住んでいた時には、人種で人を区別して見たことがありませんでした。ほとんどの日本人がそうだと思います。だからこそ、余計な先入観なく話せたのかもしれませんが、ともかく、彼が穏やかで優しい雰囲気の青年であったということと、故郷の母親を常に心配する母親思いの青年であったということは確かです。少なくとも私にとって彼は、何人(なにじん)であるかという前に、一人の友人でした。

私の部屋は、廊下の一番奥で、屋上へと続く非常階段の手前でした。

そして、非常階段とは反対に位置する隣の部屋も、目の前も、斜め前も、その三部屋すべて韓国人留学生の部屋でしたので、朝から晩まで彼らと一緒に過ごすこともありました。

そのうちの2人は学校もクラスも一緒でした。目の前の部屋に住んでいた韓国人は、ニューヨークの有名な大学に通っていました。どうやら当時、韓国ではテレビCMなどにも出演している有名なタレントだったみたいで、よく韓国人留学生が写真を撮ってもらったり、サインをしてもらいに来ていました。

三人とも明るくて、私は彼らと彼らの友達の韓国人たちに混じって食事をしたり、部屋で一緒にのんびり過ごすこともありました。お互いの国の言葉や文化を教えあったり、それぞれの国では何が流行っているのか話したり、慣れてくると同年代の日本人の友達と話しているのと、ほとんど変わらない感覚でした。彼らについて、コリアンタウンの韓国系商店へ買い出しに行ったり、日系スーパーなどに彼らがついて来たりしました。

当時でも、韓国では一般的に反日教育がなされているという、知識と言えるレベルではありませんが、漠然としたイメージだけはありました。要するに、韓国だけでなく国際社会のことも、自国のことも、この本でこれまで述べてきたような知識は全くありませんでした。今となっては、私のことを彼らが本当はどう思っていたのか、確認することはできませんが、彼らと私が仲がよかったのは、私の錯覚ではないと思います。また、語弊を恐れず言えば、韓国人も日本人も、共に自国の政府によって歪められた歴史認識を植えつけられているという点では、同じ被害者でしょう。無論、語弊を恐れずと言ったのは、回りくどい言い方になりますが、もちろんその責任が国民に全くないとは残念ながら言い難い、と感じる部分があるからです。いずれにせよ、私はこれからも、彼らと楽しく過ごした思い出を忘れることはないでしょう。

白人のおじいさんは、リチャードというアメリカ人でした。

リチャードは、共同キッチンのすぐ斜め向かいの部屋に1人で住んでいました。私が晩飯を作っていると（当時はお金の節約のため、ほとんど毎日自炊していました）、いつもひょっこり現れ、「俺が味見してやる」といって、食べたこともない日本食の味見をしてくれるのでした。

そうしていつも『つまみ食い』しにくるのですが、「なぜ私が作っていると分かるのか」と聞くと、「お前さんの時は匂いが違う」と言っていました。どうやら私の作る日本食（正確には日本風の食事）の味が気に入ったみたいでした。

次第に仲良くなると、食後に彼の部屋で色んな話をしてくれるようになりました。そうしてやがて、彼がかつて日本軍と戦ったことのある、元米軍人であることが分かりました。

彼は私に色々な話をしてくれました。当時の私の英語力では、彼の話の全てを理解することはできませんでしたが、どんな理由があっても戦争はダメだ、と言っていました。

その時の彼の目はどこか寂しそうでした。アメリカへ留学しに来た、かつて敵国であった日本人の若者に、彼は何を見ていたのでしょうか。当時80代だったと記憶していますが、私がニューヨークにいる間、彼の元へ誰かが訪ねてきたところを、一度も見たことがありませんでした。

私がその後、ニューヨークを離れるため、ロサンゼルスへ移転するその日、前もって挨拶は済ませていたのに、彼が改めて見送りに出てきてくれました。杖をつきながら、ゆっくりと建物のエントランスまで出て来て、ハグをしてくれました。

私は当時、ニューヨークに疲れ、心はとっくにニューヨークから離れていました。しかしその時、彼が戦争の話をしてくれたことや、なんだかんだ理由をつけて、いつも『つまみ食い』しに来ていたことまで、そういうひとつひとつの日常が、恵まれていたことに気づかされたのでした。

ニューヨークの街が自分には合わないと思って、ロサンゼルスへ行くことにしたのに、今でもニューヨークに対して嫌なイメージがないのは、リチャードのおかげでしょう。

その後、JFK空港へ向かうタクシーの中から見た、マンハッタンとニューヨークの町並みに、最後になって急に親近感がこみ上げ、寂しくて泣きそうになってしまったのを覚えています。

ロサンゼルスへ渡ってからも、色々な人に出会いました。

仲良くなった人には、スペイン人、メキシコ人、ボリビア人、フランス人、イタリア人、ドイツ人、スウェーデン人、イギリス人、他にもたくさんいます。

一時期、チャイナタウン近くの中国人のおばちゃんの手伝いをして、小遣いを稼いだりご飯を食べさせてもらったりしていたこともあります。

その後、一時期路上で生活することになり、そこから助けてくれたのは、白人のアメリカ人青年でした。そうして、彼を含む白人2人、日本人1人（私）、黒人のラッパー1人という、男4人でワンルームの狭い部屋に住むようになりました。

それ以降、ロサンゼルスの片隅で、私は常にマイノリティ（少数者）でした。ニューヨークでは、周りに日本人をはじめ留学生がたくさんいました。それでもマイノリティには違いありませんでしたが、留学生同士の中に入ってしまえば、同じ境遇の人々に守られていたのでした。

「食の安全」と「情報」というメインのテーマとはあまり関係がないのかもしれませんが、あの頃のことがなければ、私がこの本を書くこともなかったような気がします。

また、本書では自然農法や自然栽培などについて書きましたが、決して慣行農法を否定しているわけではありません。食は国防の要です。教育の基本でもあります。食料自給率の観点で言えば、慣行農法は現状最も大きな「食」を支える柱です。ですから本書は、農業従事者がどんどん減っている中、農家を増やしていきましょう、という前提に立っています。その上で、農薬を使うなら、現在はそれすらも外国産のものが多くを占めているので、せめて国産のものにして、海外に依存しない体制を作っていくべき、という考えです。

さらに、ユダヤについては「ユダヤ陰謀論」などがあるように、極端な論を展開している人々もいます。本書はそのような論を支持するものではありません。それらがどの程度真実なのか分かりませんし、感情論に流されていると感じる部分があったり、あきらかに誇張した話だと思われるものも多いからです。

グローバリズム＝ユダヤではありません。そういう図式に当てはめたがる人々がいるのです。ユダヤ人という人種の問題でも、ユダヤ教という宗教の問題でもなく、「全体主義」という思想が問題なのである、ということを留意しておく必要があります。

そしてもう一点、本書では、テレビや新聞をはじめ、特に大手メディアに関して様々書いてきましたが、マスコミ関係や報道機関の中にも、国民の知る権利に資するために、一生懸命働いている方もいらっしゃるはずです。だからこそ尚更、本書の様な情報を一人でも多くの方に知ってもらうことが、重要であると思うのです。

私はこれまで、本など書いたことは一度もありません。大学へ通ったこともなく、十代の頃も真面目に勉強した方ではありません。

例えば「がん」について、年々増えているといわれるその罹患者の数や、メディアで拡散される様々なデータの正確性といったことに関して、素人である私が、何かを断定することはできないのは言うまでもないことですし、そのつもりもありません。もちろんその他のあらゆる健康に関することもです。その上で、添加物の種類や農薬や防カビ剤やホルモン剤等々、薬品の実態や生野菜の食べ方やその他あらゆる視点・話題を網羅的に提示して、読者の皆様の前に並べてみせたのは、それらの情報がなかなか我々の普段の生活に入ってこない、というのが現状だと感じたからでした。

既に述べたように、本書は普段、「大手メディアの情報をご自身の主な情報源としている方」向けに書いた側面もあります。

そしてその様な方々に、本書に掲載した情報を「大手メディアではほとんど扱われない情報」としてはっきりと認識した上で受け取ってもらうことが、目的の一つでした。

また、いくつかの国際機関や企業・組織の話、大航海時代や、日本における宣教師と諸外国商人の行いなど、「食の安全」と「情報」というテーマとは一見交わらなそうな話題に多く紙幅を割いたのは、如何に我々が学校で教わる内容や、テレビや新聞をはじめ大手メディアから伝えられる情報が偏ったものであるのかを、理解していただくためでした。

そして、この本の内容をそのまま鵜呑みにしていただく必要はなく、またそうでない方が良く、先ずはあらゆることに疑問を持っていただくことが、一番大切であると既に述べてきました。これからは情報の真偽を少しでも自分で調べてみよう、と思ってくださった方がお一人でもいらっしゃるならば、本書の目的は最低限、果たせたのではないかと思います。

そうであることを願いつつ、ここまで駄文にお付き合い頂いたことに、心より感謝申し上げます。ありがとうございます。

２０２３年冬　坂上智守

参考図書一覧（順不同）

『今こそ知るべき　ガンの真相と終焉　ガンに罹る3つのリスク因子が判明』小林常雄　創藝社
『がんの正体がわかった！「がん」は予知・予防できる』小林常雄　創藝社
『世界で最初に飢えるのは日本　食の安全保障をどう守るか』鈴木宣弘　講談社
『ルポ　食が壊れる　私たちは何を食べさせられるのか？』堤未果　文藝春秋
『ブラックアウト　アメリカ黒人による、〝民主党の新たな奴隷農場〟からの独立宣言』キャンディス・オーウェンズ著、我那覇真子訳、福島朋子共同翻訳、ジェイソン・モーガン監訳　方丈社
『「ザ・ロスチャイルド」大英帝国を乗っ取り世界を支配した一族の物語』林千勝　経営科学出版
『日米戦争を策謀したのは誰だ！』林千勝　ワック
『近衛文麿　野望と挫折』林千勝　ワック（※加筆・修正版）
『「アメリカ」の終わり』山中泉　方丈社
『アメリカの崩壊』山中泉　方丈社
『ガンになりたくなければコンビニ食をやめろ！』吉野敏明　青林堂

『日本とユダヤの古代史&世界史　縄文・神話から続く日本建国の真実』田中英道、茂木誠 共著　ワニブックス
『世界史とつなげて学べ　超日本史』茂木誠　KADOKAWA
『プロパガンダ［新版］』エドワード・バーネイズ著、中田安彦訳・解説　成甲書房
『Propaganda』Edward Bernays, Mark Crispin Miller (Introduction), Ig Publishing
『A Summary of Propaganda』Edward Bernays, BN Publishing
『エコと健康の情報は間違いがいっぱい！』武田邦彦　廣済堂出版
『国連の正体』藤井厳喜　ダイレクト出版
『日米戦争を起こしたのは誰か　ルーズベルトの罪状・フーバー大統領回顧録を論ず』加瀬英明 序、藤井厳喜 著、稲村公望 著、茂木弘道 著　勉誠出版
『日本国憲法は日本人の恥である』ジェイソン・モーガン　悟空出版
『バチカンの狂気　「赤い権力」と手を結ぶキリスト教』ジェイソン・モーガン　ビジネス社
『日本はアメリカの悲劇に学べ！　LGBTの語られざるリアル』ジェイソン・モーガン 著、我那覇真子 著　ビジネス社
『It's Perfectly Normal』Robie H. Harris, Michael Emberley, Candlewick Press
『知らないとヤバい民主主義の歴史』宇山卓栄　PHP研究所
『世界史で読み解く「天皇ブランド」』宇山卓栄　悟空出版

『裏切られた自由（上）』ハーバート・フーバー著、ジョージ・H・ナッシュ編、渡辺惣樹訳　草思社
『FREEDOM BETRAYED Herbert Hoover's Secret History of the Second World War and Its Aftermath』Herbert Hoover Hoover Institution Press
『アメリカはいかにして日本を追い詰めたか』ジェフリー・レコード著、渡辺惣樹訳・解説　草思社
『ルーズベルトの開戦責任』ハミルトン・フィッシュ著、渡辺惣樹訳　草思社
『第二次世界大戦とは何だったのか　戦争指導者たちの謀略と工作』渡辺惣樹　PHP研究所
『公文書が明かす　アメリカの巨悪』渡辺惣樹　ビジネス社
『THE REAL ANTHONY FAUCI 人類を裏切った男（上）』ロバート・F・ケネディ・ジュニア著、林千勝 解説、石黒千秋 訳　経営科学出版
『THE REAL ANTHONY FAUCI 人類を裏切った男（中）』ロバート・F・ケネディ・ジュニア著、林千勝 解説、石黒千秋 訳　経営科学出版
『新説・明治維新』西鋭夫　ダイレクト出版
『[改訂版] 西鋭夫講演録 新説・明治維新』西鋭夫　ダイレクト出版
『滞日十年（下）』ジョセフ・C・グルー著、石川欣一 訳　筑摩書房
『ステークホルダー資本主義』クラウス・シュワブ著、ピーター・バナム著、藤田正美訳、チャールズ清水 訳、安納令奈 訳　日経ナショナル ジオグラフィック

『パンデミックなき未来へ 僕たちにできること』ビル・ゲイツ 著、山田文 訳　早川書房
『第三次世界大戦はもう始まっている』エマニュエル・トッド 著、大野舞 訳　文藝春秋
『自由の限界』エマニュエル・トッド、ジャック・アタリ、マルクス・ガブリエル、ユヴァル・ノア・ハラリ 他、鶴原徹也 聞き手・編　中央公論新社
『いま世界を動かしている「黒いシナリオ」グローバリストたちとの最終戦争が始まる！』及川幸久　徳間書店
『閉された言語空間　占領軍の検閲と戦後日本』江藤淳　文藝春秋
『ＧＨＱ検閲官』甲斐弦 著、上島嘉郎 解説　経営科学出版
『検閲官　発見されたＧＨＱ名簿』山本武利　新潮社
『戦中戦後の出版と桜井書店　作家からの手紙・企業整備・ＧＨＱ検閲』山口邦子　慧文社
『からごころ ―日本精神の逆説―』長谷川三千子　中央公論新社
『昭和を生きて来た』山田太一　河出書房新社
『宮本武蔵　五輪書と剣道の精神』岡田恒輔 著、文部省教学局 編纂　内閣印刷局
『芸術家　宮本武蔵』宮元健次　人文書院
『兵法家伝書　付 新陰流兵法目録事』柳生宗矩 著、渡辺一郎 校注　岩波書店
『葉隠』城島明彦 現代語訳　致知出版社
『対訳 武士道』新渡戸稲造 著、山本史郎 訳　朝日新聞出版

『うい山ぶみ』本居宣長 著、白石良夫全訳注　講談社
『謀略と捏造の二〇〇年戦争』馬渕睦夫 著、渡辺惣樹 著　徳間書店
『国際ニュースの読み方』馬渕睦夫　マガジンハウス
『日本人が知らない世界の黒幕』馬渕睦夫　SBクリエイティブ
『ディープステート　世界を操るのは誰か』馬渕睦夫　ワック
『日本を蝕む　新・共産主義』馬渕睦夫　徳間書店
『知ってはいけない現代史の正体』馬渕睦夫　SBクリエイティブ
『虚構の戦後レジーム』田中英道　啓文社書房
『増補　世界史の中の日本　本当は何がすごいのか』田中英道　扶桑社
『邪馬台国は存在しなかった』田中英道　勉誠出版
『日本人が知らない日本の道徳』田中英道　ビジネス社
『日本人にリベラリズムは必要ない。』田中英道　KKベストセラーズ
『鎖国の正体』鈴木荘一　柏書房
『平和の武将 徳川家康』鈴木荘一　さくら舎
『大航海時代にわが国が西洋の植民地にならなかったのはなぜか』しばやん　文芸社
『スペイン古文書を通じて見たる 日本とフィリピン』奈良静馬　経営科学出版
『大航海時代の日本人奴隷 増補新版』ルシオ・デ・ソウザ 著、岡美穂子 著　中央公論新社

『トランプの真実』ダグ・ウィード著、藤井厳喜 監修・解説、山本泉 訳、神奈川夏子 訳、ドーラン優子 訳、小巻靖子 訳、大橋美帆 訳、山内めぐみ 訳　ダイレクト出版
『トランプ自伝　不動産王にビジネスを学ぶ』ドナルド・トランプ 著、トニー・シュウォーツ 著、相原真理子 訳　筑摩書房
『日本人だけが知らなかった「安倍晋三」の真実』西村幸祐　ワニブックス
『なぜ女系天皇で日本が滅ぶのか』門田隆将 著、竹田恒泰 著　ビジネス社
『新・階級闘争論　暴走するメディア・SNS』門田隆将　ワック
『天皇』矢作直樹　扶桑社
『マリス博士の奇想天外な人生』キャリー・マリス 著、福岡伸一 訳　早川書房
『タネはどうなる⁉　種子法廃止と種苗法改定を検証（新装増補版）』山田正彦　サイゾー
『硝酸塩は本当に危険か　崩れた有害仮説と真実』J・リロンデル 著、J－L・リロンデル 著、越野正義 訳　農山漁村文化協会
『食料自給率100％を目ざさない国に未来はない』島崎治道　集英社
『医療殺戮』ユースタス・マリンズ 著、内海聡 監修、天童竺丸 訳　ヒカルランド
『新版 カナンの呪い』ユースタス・マリンズ 著、天童竺丸 訳・解説　成甲書房
『命がけの証言』清水ともみ 著、楊海英 対談　ワック
『日韓併合を生きた15人の証言「よき関係」のあったことをなぜ語らないのか』呉善花　桜の花出版

『「親日韓国人」ですが、何か？』ＷＷＵＫ著、呉善花著　悟空出版
『日本人て、なんですか？』竹田恒泰著、呉善花著　発行・李白社、発売・ビジネス社
『いま知っておきたい「みらいのお金」の話』松田学　アスコム
『新型コロナが本当にこわくなくなる本　医学・政治・経済の見地から〝コロナ騒動〟を総括する』
井上正康著、松田学著　方丈社
『日本人を精神的武装解除するためにアメリカがねじ曲げた日本の歴史』青柳武彦　ハート出版
『フリーメーソンのアジア管理』犬塚きよ子　新國民社
『フリーメーソンの占領革命』犬塚きよ子　新國民社
『復刻・日本とナチス独逸』末次信正　経営科学出版
『復刻・ユダヤの対日謀略』長谷川泰造　経営科学出版
『秘伝！　侍の養生術　最強極意は「壮健なること」と見つけたり』宮下宗三　ＢＡＢジャパン
『白隠禅師　健康法と逸話』直木公彦　日本教文社
『日本人の呼吸術　深く・鋭く・美しく』中村明一　ＢＡＢジャパン
『聖なる科学』スワミ・スリ・ユクテスワ　森北出版
『百姓が地球を救う　安心安全な食へ〝農業ルネサンス〟』木村秋則　東邦出版
『リンゴの花が咲いたあと』木村秋則　日本経済新聞出版社
『地球に生まれたあなたが今すぐしなくてはならないこと』木村秋則　ＫＫロングセラーズ

『家庭菜園でできる自然農法』学研
『自然農・栽培の手引き――いのちの営み、田畑の営み――』鏡山悦子著、川口由一監修　南方新社
『1㎡からはじめる自然菜園』竹内孝功　ワン・パブリッシング
『育ちや味がどんどんよくなる　自然菜園で野菜づくり』竹内孝功　家の光協会
『自然菜園で育てる健康野菜』竹内孝功監修、新田穂高著　宝島社
『昔農家に教わる　野菜づくりの知恵とワザ』木嶋利男　家の光協会
『決定版　コンパニオンプランツの野菜づくり』木嶋利男　家の光協会
『伝承農法を活かす　家庭菜園の科学』木嶋利男　講談社
『完全版　生ごみ先生が教える「元気野菜づくり」超入門』吉田俊道　東洋経済新報社
『新版　暦に学ぶ野菜づくりの知恵　畑仕事の十二ヶ月』久保田豊和　家の光協会
『Renaissance ルネサンス vol.13 食がもたらす〝病〟～日本の食安全神話崩壊～』ダイレクト出版
『Renaissance ルネサンス vol.12 GHQが隠した「本当の日本」』ダイレクト出版
『Renaissance ルネサンス vol.9 ECOに翻弄される世界』ダイレクト出版
『WiLL 2023年4月号』ワック
『WiLL 2023年7月号』ワック
『正論 2023年7月号』産経新聞社
『コミンテルン史論』トリアッティ著、石堂清倫訳、藤沢道朗訳　青木書店

『ロンドン』小池滋　文藝春秋
『世界憲法集』宮沢俊義編　岩波書店
『人権宣言集』高木八尺、末延三次、宮沢俊義編　岩波書店
『日本古典文學大系1　古事記祝詞』倉野憲司、武田祐吉 校注　岩波書店
『小学校学習指導要領（平成29年告示）』文部科学省
『中学校学習指導要領（平成29年告示）』文部科学省
等

著者プロフィール

坂上 智守（さかがみ さとる）

作詞家。作曲家。翻訳家。
2000年代初頭、渡米し語学を学ぶ。帰国後、都内を中心に音楽活動を始め、大手楽器メーカーとのエンドース契約、全国流通デビューを経験。独学で無農薬・無肥料の野菜作りに挑戦する傍ら、在野で歴史や日本文化などの研究を行いながら、国際情勢に関する翻訳にも携わる。2024年1月、八雲出版株式会社を設立。

脱・情報弱者
～食の安全と情報戦に備えるための本～

2024年 6 月23日　初版第 1 刷発行

著　　者　坂上 智守
発 売 人　斎藤 信二
発 売 所　株式会社高木書房
〒116-0013 東京都荒川区西日暮里 5－14－4－901
電話 03－5615－2062
発 行 人　坂上 智守
発 行 所　八雲出版株式会社
〒270-1425 千葉県白井市池の上 2－12－3
電話 090－7638－7572

D　T　P　株式会社キャップス
印刷・製本　株式会社デジタルパブリッシングサービス

ISBN978-4-88471-838-1